2/19

Colesterol

Colesterol

Dr. Luis Masana Marín

Amat
editorial

Autor: Luis Masana Marín
Director de la colección: Emili Atmetlla

© Editorial Amat, S.L., Barcelona, 2009 (www.amateditorial.com)

ISBN: 978-84-9735-279-6
Depósito legal: NA-532/2009
Diseño cubierta: XicArt
Ilustraciones: Sergi Cámara
Impresión: Gráficas Ulzama
Impreso en España - *Printed in Spain*

Índice

Introducción

La palabra colesterol ha trascendido el ámbito médico y se ha instalado entre los conceptos que definen ciertas características de nuestra forma de vida actual. Más allá de un marcador de salud, el colesterol parece referirse a un estilo de vida nocivo pero difícilmente evitable.

A pesar de ser un tema de conversación habitual el conocimiento sobre el mismo es parco. Las lagunas de desconocimiento se rellenan con tópicos e inexactitudes que han desvirtuado el significado de este parámetro biológico, tanto por exceso como por defecto. Dado que la información es un hecho clave en la preservación de la salud, en este libro pretendemos informar de la forma más sencilla y comprensible, pero a la vez con el máximo rigor científico, sobre los aspectos que relacionan colesterol con la salud y la enfermedad.

La estructura del libro se basa en preguntas y respuestas, por lo que el lector puede centrar su atención en aquellos aspectos concretos que más le llamen la atención. Hemos intentado que las respuestas a cada pregunta sean autosuficientes, es decir, que no requieran la lectura de otros apartados del libro para entenderlas en su totalidad. Por ello, se pueden encontrar repeticiones dado que existen informaciones necesarias para la comprensión de varias cuestiones. Sin embargo, hay respuestas a preguntas que pueden complementar otras, por lo que al final de cada contestación recomendamos las secciones adicionales que aportan información relevante en cada tema.

Nuestra intención es que este libro ayude a mejorar el conocimiento sobre el colesterol y sus riesgos sobre la salud, pero también sobre su importancia en nuestro organismo, cuya vida no sería posible sin su presencia.

1. Naturaleza y metabolismo del colesterol

1. ¿Qué es el colesterol?

Sin colesterol usted no viviría, es más, no existiría la especie humana ni ningún miembro del reino animal. El colesterol es una sustancia inherente a la existencia de nuestra especie. Es una molécula grasa absolutamente necesaria para el organismo de los animales en general y de la especie humana en particular.

La molécula de colesterol forma parte de todas las membranas de las células y de sus estructuras interiores. Las células son las unidades vivas que forman los organismos como el nuestro. Tienen un núcleo que contiene toda la información genética y un citoplasma que lo rodea que contiene los alimentos y elementos necesarios para su funcionamiento. Tanto el núcleo como la totalidad de la célula están envueltos en las estructuras que denominamos membranas. Estas membranas están constituidas entre otros elementos por colesterol. Es como el cemento que permite dar homogeneidad a la pared exterior y a las del interior de la célula. Si en el proceso de división de una célula suprimiéramos el aporte de colesterol abortaríamos la reproducción de la misma, ésta no se formaría.

La estructura molecular del colesterol es compleja. Para su formación se requieren muchos pasos creándose multitud de elementos intermedios. De hecho, todas las células de nuestro organismo tienen la maquinaria metabólica preparada para fabricar colesterol, pero es tal el esfuerzo metabólico que se requiere que, en general, prefieren obtener el colesterol que se les ofrece sin esfuerzo metabólico, por ejemplo, el que les aporta la dieta.

La estructura básica de la molécula de colesterol es similar a la de muchas hormonas y dado el esfuerzo metabólico que representaría crearlas, el colesterol actúa como base para su formación. El colesterol es la molécula precursora de las hormonas que conocemos como esteroideas. Entre ellas cabe recordar la cortisona o las hormonas sexuales como la testosterona o los estrógenos.

Como pueden ver, el colesterol es algo muy importante para nuestro organismo. Pero hay más. La molécula de colesterol es una pequeña maravilla biológica, está construida para resistir. De hecho, el organismo humano no tiene mecanismos metabólicos para destruir el colesterol. Un organismo capaz de quemar azúcar, destruir proteínas y diversos tipos de grasas, romper elementos ajenos a nuestro cuerpo como los medicamentos o sustancias tóxicas, no puede destruir el colesterol. Como mucho lo modifica mínimamente para que se excrete mejor.

La única vía que tiene nuestro cuerpo para eliminar colesterol es excretarlo a través del hígado, en concreto por la bilis y desde allí al intestino y las heces. Esta excreción se realiza como colesterol sin más o después de una ligera modificación metabólica que lo transforma en ácidos biliares. Éste es el colesterol que puede depositarse en la vesícula biliar y formar las piedras o cálculos que tantos problemas dan a muchas personas. ¡Sí, en muchos casos las piedras del hígado son de colesterol! Pero su presencia en la bilis tampoco debe considerarse nociva. De hecho, allí ejerce otra de sus funciones, la formación de ácidos y sales biliares. Estas sustancias derivadas del colesterol son enviadas de forma masiva al intestino. Cada día se excretan más de 20 gramos de ácidos biliares. Su función es muy importante para la digestión, actúan como el jabón, disuelven las grasas que comemos permitiendo que el amasijo graso de nuestra alimentación se disgregue de forma adecuada para que pueda ser absorbido.

Una sustancia que es necesaria para la estructura de todas y cada una de nuestras células, que facilita la formación de hormonas y de componentes de la bilis esenciales para la digestión, no puede considerarse un elemento nocivo en nuestro organismo. ¿A qué viene, pues, la mala fama que el colesterol tiene para nuestra salud?

Los problemas asociados al colesterol se producen cuando está en cantidades superiores a las normales. El colesterol viaja por la sangre pasando de un tejido a otro, del hígado al músculo, a las arterias, a los pulmones, al corazón, a todas partes, dado que en todas ellas es necesario, y cuando en este ir y venir la cantidad que circula por la sangre es superior a la necesaria aparecen los problemas. El colesterol excesivo se deposita en la pared de los conductos sanguíneos, las arterias, produciendo una pátina de grasa que va creciendo con el paso del tiempo hasta taparlas. Si se ocluyen las arterias coronarias que son las que permiten que se alimente el músculo cardíaco, se produce el infarto de miocardio que es una enfermedad potencialmente mortal. Por ello, sin colesterol no existiríamos, pero con un exceso de colesterol podemos morir.

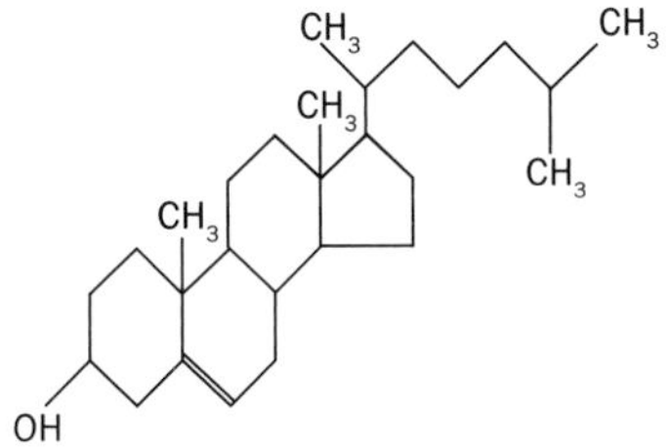

Figura 1. *Estructura química de la molécula de colesterol.*

Para completar la información relativa a este tema le recomendamos lea las respuestas a las preguntas 2, 3 y 4

2. ¿Qué tipos de colesterol existen? ¿Hay un colesterol bueno y uno malo?

Seguro que ha oído hablar del colesterol bueno y del colesterol malo. Pues bien, lo primero que debemos dejar claro es que sólo existe un tipo molecular de colesterol, todo el colesterol de nuestro organismo es idéntico desde el punto de vista químico.

Así pues, ¿a qué se debe esta clasificación popular que hemos mencionado? La razón es sencilla, depende de la localización del mismo durante su transporte por la sangre. Cuando el colesterol va del hígado a las coronarias o arterias en general o al resto de órganos de nuestro cuerpo es cuando puede depositarse en exceso y por ello un aumento del mismo es malo, colesterol malo. Por otro lado, cuando el colesterol va de las arterias al hígado para que pueda ser eliminado, digamos que representa el producto de la limpieza arterial, esto parece bueno, colesterol bueno.

¿Pero a qué se debe este trasiego de colesterol? El colesterol es una grasa y como tal su relación con la sangre, que es fundamentalmente agua, es difícil. ¿Ha probado alguna vez disolver aceite en agua? ¿Imposible? Pues esto es lo que deben realizar las grasas, los lípidos, de nuestro organismo para circular por la sangre. Esta dificultad para la solubilidad en agua o hidrosolubilidad, se debe a la falta de cargas eléctricas en la superficie de las grasas, no tienen polaridad, son apolares, a diferencia del agua y las sustancias hidrosolubles que son polares.

Por ello, para poder mezclarse con un medio polar, las grasas se envuelven en unas estructuras esféricas en cuya superficie hay elementos químicos que les ofrecen esta polaridad, son proteínas. Dado que se componen de lípidos y proteínas se las denomina lipoproteínas. En resumen, son unas esferas en cuyo interior se cobija el colesterol y otras grasas y en la cubierta están las proteínas, apoproteínas, que les ayudan a desplazarse. Son los vehículos en cuyo interior se desplaza el colesterol por la sangre. Estos vehículos no sólo contienen colesterol sino otras grasas, como son los triglicéridos.

Dependiendo de la cantidad de colesterol, triglicéridos y proteínas que contengan podemos clasificar estas lipoproteínas en varias clases. La clasificación más habitual es la más sencilla, depende de la densidad de las mismas. Las menos densas son las que contienen más grasa y las más densas las que contienen más proteína. Así se distinguen las lipoproteínas de muy baja densidad, ricas en grasa, especialmente triglicéridos. Las de baja densidad, ricas en grasa pero sobre todo colesterol, que transportan tres cuartas partes del colesterol de la sangre, y las de alta densidad, ricas en proteínas pero cuya grasa mayoritaria también es el colesterol. Desde el punto de vista científico se las conoce por las siglas en inglés que designan su grado de densidad: *Very low density lipoproteins*-VLDL, *Low density lipoproteins*-LDL y *High density lipoproteins*-HDL.

Hay otras partículas que, en personas sanas, sólo aparecen después de las comidas y están en la sangre unos minutos; son las encargadas de introducir los lípidos de la dieta en el interior de nuestro cuerpo y llevarla al hígado. Son verdaderas bolas de grasa, en su mayoría triglicéridos y se denominan quilomicrones.

Pero, volvamos a la cuestión que nos ocupa, el colesterol bueno y el malo. Estos vehículos que permiten el trasporte de colesterol tienen circuitos distintos.

Las LDL, las que trasportan la mayor parte del colesterol, lo llevan desde el hígado, centro de operaciones de nuestro metabolismo, a los tejidos, entre ellos a la pared arterial. Es el exceso de colesterol transportado por las LDL el que se depositará en las arterias coronarias, cerebrales u otras y puede dar problemas a la larga. Por ello al colesterol trasportado por las LDL, colesterol LDL, se le denomina colesterol malo.

Por otra parte, las HDL son el vehículo que se encarga de trasladar el colesterol desde los tejidos periféricos al hígado para que pueda ser eliminado. De alguna forma son las estructuras que facilitan la limpieza del colesterol de la pared arterial. Por ello, al colesterol trasportado por las HDL, colesterol HDL, se le conoce como colesterol bueno. Esta división y denominación popular no se establece sólo sobre la base de los aspectos biológicos o metabólicos sino también epidemiológicos. Sabemos que tener mucho colesterol LDL, malo, se asocia a una mayor probabilidad de padecer un infarto o una angina de pecho. Sin embargo tener mucho colesterol HDL protege de la enfermedad. Es decir es malo tener mucho colesterol LDL y poco colesterol HDL y es excelente tener poco colesterol LDL y mucho colesterol HDL.

Cuando nos hacemos un análisis de colesterol, el valor que generalmente nos dan es el del colesterol total, es decir la suma del LDL y HDL, el malo y el bueno. Imagínese que le dicen que usted tiene 200 mg/dl de colesterol, su significado será distinto si 170 son de LDL y 30 de HDL ó bien 70 son de LDL y 130 de HDL. En el primer caso deberemos mejorar las cifras de colesterol, mientras que en el segundo podremos saltar de alegría, ya que tenemos poco colesterol malo y mucho del protector o bueno. Lo cierto es que las proporciones suelen ser muy constantes y, en general, unas tres cuartas partes del colesterol total son del malo y una cuarta parte es HDL. Por ello, cuando sube el colesterol total suele deberse a elevaciones del malo más que del bueno. Sin embargo, siempre hay que comprobarlo y especialmente en personas que suelen tener mucho colesterol bueno como es el caso de las mujeres jóvenes y los niños. En estas situaciones, es importante comprobar siempre si el colesterol que tienen es bueno o malo.

Para completar la información relativa a éste tema le recomendamos lea las respuestas a las preguntas 1 y 3

3. ¿Cómo se produce el colesterol?

El colesterol de nuestro organismo tiene dos fuentes principales: la formación endógena en nuestro propio cuerpo y la dieta u origen exógeno. El colesterol es una sustancia necesaria para nuestro sistema metabólico. Todas nuestras células necesitan colesterol y por tanto todas ellas son capaces de formarlo.

Sin embargo, el órgano más importante para la síntesis de colesterol es el hígado. El hígado es la fábrica de nuestro organismo, el centro metabólico por excelencia, y por ello también es el encargado de formar el 70% del colesterol que se fabrica en nuestro cuerpo. Al colesterol sintetizado en el hígado se le denomina endógeno. Pero este órgano no sólo se limita a formar colesterol sino que es el responsable fundamental del metabolismo de las lipoproteínas, es decir de las partículas que median en el transporte lipídico. Es en las células hepáticas donde el colesterol se empaqueta en las VLDL y de esta forma es secretado a la sangre. Estas partículas viajan por nuestro cuerpo y por modificaciones metabólicas diversas se trasforman en las LDL, las lipoproteínas que llevan el colesterol malo. Estas últimas entregan su contenido a los distintos órganos y en gran parte regresan al hígado donde finalizan su viaje metabólico.

Dada la complejidad de la molécula de colesterol, su síntesis requiere un gran esfuerzo metabólico, es compleja, se produce a través de más de veinte pasos metabólicos distintos. Por ello, y acreditando el dicho de que la naturaleza es sabia, solemos aprovechar el colesterol que llega a nuestro cuerpo por la alimentación.

Una dieta media propia de nuestro entorno nos aporta entre 300 y 500 miligramos al día. En las células intestinales se forman otras partículas de transporte específicas para la entrada de grasa en el cuerpo que son los quilomicrones. A ellos se incorpora el colesterol de la dieta.

Por suerte, la cantidad de colesterol que el intestino puede absorber al día es limitada y en general sólo admite la mitad del que le llega. Debemos tener en cuenta que aparte del colesterol que comemos, también se encuentra en el intestino el que es vertido a través de la vía biliar. Entre el dietético y el biliar entran al tubo digestivo cerca de dos gramos y medio de colesterol cada día y de éste se absorbe la mitad. Este gramo y pico que pasa a la sangre desde el intestino, el *colesterol exógeno*, es una cantidad prácticamente idéntica a la que sintetiza el hígado diariamente. Además, estas dos fuentes están en equilibrio. Es decir, si nuestra dieta contiene muy poco colesterol hay un intento de compensación aumentando la producción hepática y, viceversa, si detuviéremos la fabricación hepática de colesterol, la capacidad de absorción se incrementaría.

Por ello, nuestras posibilidades de influir sobre la cantidad de colesterol del organismo mediante control dietético puede verse limitada. ¡Si recomendamos una dieta baja en colesterol el hígado lo va a compensar aumentando su producción endógena! Esto es parcialmente cierto cuando nuestro colesterol está ya en sus valores fisiológicos normales, es decir, cuando el colesterol es bajo, pero cuando hay un exceso, nuestra capacidad de maniobra es todavía muy amplia. Por ello, cuando queremos bajar el colesterol solemos actuar sobre las dos fuentes de colesterol. Con medicamentos podemos suprimir la producción del hígado y con dieta, u otros fármacos, limitamos su absorción.

Para completar la información relativa a éste tema le recomendamos lea las respuestas a las preguntas 1 y 2

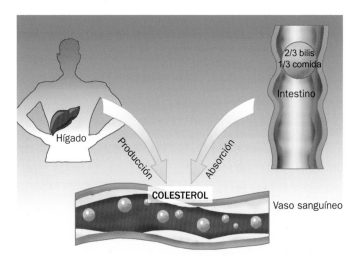

Figura 2. *El colesterol del organismo procede de la síntesis hepática y la absorción intestinal.*

4. ¿Dónde encontramos el colesterol en la naturaleza?

No busquen el colesterol fuera del reino animal. Es la molécula propia de los animales. El colesterol se encuentra, aparte del cuerpo humano, en todas las especies animales. Forma parte de la musculatura, de las vísceras, de cada una de las zonas del organismo en la que haya células.

Además, se encuentra allí a pesar de que no lo veamos. El colesterol no es la grasa visible en el jamón o en otro tipo de carne, ni las vetas blancas que acompañan a un buen entrecot. No, esta grasa visible son los triglicéridos. El colesterol se oculta en la estructura del animal.

Por tanto, hemos de saber que comemos colesterol cada vez que ingerimos alimentos de origen animal. La ternera, el cordero, el cerdo, pero también el pollo u otras aves y el pescado son fuentes de colesterol. Ahora bien su concentración puede variar. Uno de los lugares en los que más colesterol podemos encontrar es, por ejemplo, en la yema del huevo de gallina, o en las vísceras de los animales, los intestinos, el hígado, los riñones y obviamente la musculatura, la carne. Aquí, su concentración también dependerá del tipo de animal. Hay más en la ternera o el cordero que en la

Figura 3. *La yema de huevo es una de las principales fuentes de colesterol*

carne de las aves. El marisco es otra fuente importante de colesterol.

De todas formas, debemos tener en cuenta que nuestro cuerpo tiene una limitación a la entrada de colesterol. No absorbe todo el colesterol que le llega al intestino, sino un cincuenta por ciento del mismo. Por ello, la limitación dietética en la cantidad de colesterol, aunque es importante, no es la medida más importante para disminuir el colesterol. Por ejemplo, otros tipos de grasas, como las grasas saturadas, que también se encuentran en los animales, y que se absorben en su totalidad inducen una mayor formación de colesterol en el organismo. Su impacto metabólico es superior al del propio colesterol alimentario y tendremos un efecto más beneficioso si limitamos la ingesta de grasa saturada que la del propio colesterol.

Por otra parte, el colesterol de muchos alimentos se absorbe con poca eficiencia, debido a que hay otras sustancias que dificultan el proceso. A este fenómeno se le conoce como biodisponibilidad del colesterol. Por ejemplo el colesterol de los huevos se absorbe de forma limitada por efecto de los componentes de la clara del propio huevo que limitan su biodisponibilidad. Lo mismo ocurre con el colesterol del marisco. Todo ello hace que las recomendaciones alimentarias para controlar el colesterol sean complejas y deban basarse en un conocimiento claro del metabolismo.

¿Dónde no hay colesterol? En el reino vegetal. Si usted es vegetariano estricto no se encontrará con ninguna molécula de colesterol. En la fruta, la verdura, las hortalizas, los frutos secos, el pan, los vegetales en general no hay colesterol. Ni un gramo, ni una molécula. ¿Acaso sus células no lo necesitan? Pues no, aunque si requieren moléculas similares. Los vegetales tienen unas moléculas muy parecidas al colesterol que se denominan fitoesteroles. Su estructura química es muy parecida pero metabólicamente se comportan de forma distinta.

Miligramos de colesterol por cada 100 gramos de alimento	
Anchoas frescas	100
Arroz	0
Atún fresco	38
Bogavante	112
Bollo	190
Caballo	54
Calamar	150
Clara de huevo	0
Conejo	50
Costillas de cerdo	80
Costillas de cordero	78
Cruasán	50
Chocolate con leche	182
Filete de ternera	80
Foie gras	380
Galletas tipo María	107
Gamba	152
Helado cremoso	25
Jamón cocido	52
Jamón serrano	70
Langosta	105
Leche descremada UHT	2
Leche entera UHT	14

Miligramos de colesterol por cada 100 gramos de alimento	
Leche semi-descremada UHT	7
Longaniza	70
Magdalenas	203
Mantequilla	250
Mantequilla Light	100
Mayonesa	150
Mejillón	50
Merluza	23
Pan de payés	0
Pasta c/huevo	30
Pavo	72
Pollo	75
Pulpo	129
Queso curado	40
Queso de cabra fresco	16
Salmón fresco	52
Sardina fresca	100
Sepia	193
Trucha	56
Vísceras	806
Yema de huevo	1100
Yogur entero natural	13

Tabla 1. *Contenido en colesterol de algunos alimentos.*

Una ventaja importante para nuestra alimentación es que el organismo humano no está preparado para asimilar fitosteroles, por lo que si comemos vegetales no los vamos a absorber. Recientemente, se han popularizado alimentos enriquecidos con estos esteroles vegetales, como yogures, margarinas, leche. La idea de estos preparados es que al llegar al intestino ocupen el lugar del colesterol, engañando a los mecanismos propios de su absorción. Lo suplantan, y cuando las células intestinales se disponen a absorber estas moléculas que han confundido con las de colesterol se dan cuenta que no pueden admitirlas. Por tanto, no se absorbe el colesterol que ha sido desplazado por las moléculas impostoras, ni tampoco los fitosteroles, que no son admitidos por el organismo.

Para completar la información relativa a éste tema le recomendamos lea las respuestas a las preguntas 3 y 17

5. ¿Qué otras grasas hay en el cuerpo?

Un 20 por ciento de nuestro organismo está compuesto por grasa. Las grasas, ó lípidos se caracterizan, en general, por que no se disuelven en medios acuosos y sí en otro tipo de solventes especiales. Por ello, tienen dificultades para convivir en nuestro organismo que está constituido en un 70 % de agua y están depositadas en zonas especiales como el tejido adiposo o circulan incorporadas a estructuras específicas que las envuelven para que puedan mezclarse con la sangre. Estas estructuras son unas esferas denominadas lipoproteínas porque están formadas por proteínas en el envoltorio y grasa en el interior.

Hay muchas variedades de moléculas grasas que tienen funciones muy importantes en nuestro cuerpo. Sin embargo, desde el punto de vista de la prevención de las enfermedades cardiovasculares debemos mencionar dos tipos: el colesterol y los triglicéridos con sus ácidos grasos. También son de gran importancia los fosfolípidos en cuya molécula hay un átomo de fósforo, de ahí el nombre. Este átomo de fósforo les provee de una carga eléctrica que los hace más amigables al agua, se pueden relacionar con ella, y por esto actúan de nexo de unión entre elementos grasos y acuosos. Están en las membranas de las células y en la superficie de las lipoproteínas junto a las proteínas. También tienen un papel muy importante en la estructura del sistema nervioso, pero no suelen ser un elemento que analicemos en los estudios clínicos de los pacientes.

El colesterol es una molécula que se requiere en las membranas, de hecho también tiene una carga eléctrica que le permite formar parte de las interfases entre lípidos y agua y, por ello, está junto a los fosfolípidos formando todas las membranas de nuestro organismo. Además, el colesterol es precursor de hormonas del tipo esferoidal, como la cortisona o las hormonas sexuales y de los ácidos biliares que necesitamos para una correcta digestión. El aumento en la concentración sanguínea de colesterol es lo que puede perjudicar nuestra salud.

Otros lípidos importantes desde el punto de vista médico son los triglicéridos. Son la grasa propiamente dicha. La manteca es triglicéridos, la margarina es triglicéridos, la grasa del jamón o de la carne, es triglicéridos. La nata de la leche es triglicéridos. ¿Por qué tantos triglicéridos? Los triglicéridos son nuestra reserva de energía. Cuando el aporte energético es superior al gasto de energía, el organismo guarda este exceso en forma de triglicéridos y los acumula en el tejido graso, bajo la piel, en el abdomen, en los muslos, en todas partes ¡engordamos!. Una persona obesa tiene un gran almacén de triglicéridos en el organismo. Pero debemos pensar que los triglicéridos son muy importantes para nosotros. En épocas de ayuno, nuestro cuerpo se abastece de la energía que desprenden los triglicéridos. Un gramo de grasa produce nueve kilocalorías, más del doble que un gramo de azúcar, que tan sólo produce cuatro. Así para almacenar la misma energía necesitaríamos más del doble de azúcares que de grasa.

¿Se imaginan como seríamos? Pesaríamos de promedio un veinte por ciento más, incluso más, porque el azúcar para almacenarse necesita su misma cantidad en agua. Por ello, el veinte por ciento de nuestro organismo que es grasa debería sustituirse por un 40% de azúcar más otro cuarenta por ciento de agua. Es decir una persona de 70 kilos, cuya reserva energética se concentra en unos 14 kilos de grasa, debería almacenar 56 kilos de azúcar hidratado, glucógeno, para mantener las mismas reservas. Es decir, pesaría cuarenta y dos kilos más, o sea ciento doce.

¡Bienvenida sea la grasa! ¡Benditos los triglicéridos! Está claro que nuestra especie sería morfológicamente distinta si no existieran los triglicéridos. Entonces ¿qué problema hay con ellos? Lo mismo que el colesterol y tantas y tantas cosas en nuestro organismo, son beneficiosos en su justa medida, un exceso de los mismos puede ser perjudicial para la salud. Los triglicéridos son en el fondo una molécula que transporta la grasa energética fundamental, los ácidos grasos.

Los triglicéridos son la forma en la que los ácidos grasos son trasportados por la sangre y almacenados en el tejido adiposo. Para liberar energía y participar en el mecanismo metabólico los ácidos grasos se sueltan. De cada molécula de triglicérido salen tres ácidos grasos.

Los ácidos grasos son cadenas constituidas por átomos de carbono. Se clasifican según el número de átomos de carbono que tengan y la presencia de dobles enlaces, uniones químicas (véase las figuras 4 y 5), entre ellos. Si no hay dobles enlaces hablamos de ácidos grasos saturados, si hay un doble enlace, de ácidos grasos monoinsaturados, si hay dos o más dobles enlaces los denominamos poliinsaturados

El número de dobles enlaces no es sólo un capricho de los estudiosos de la química, el número de los mismos y su situación en la molécula determinan sus características físico-químicas. Los saturados son grasa sólida a temperatura ambiente, mientras que los insaturados son aceites. Los saturados están en los animales, los insaturados en los vegetales y en los animales marinos, los peces. Los saturados suben el colesterol, los insaturados tienden a bajarlo. Ni más ni menos.

Dentro de los insaturados también pueden distinguirse diversas especies. Los monoinsaturados en general están representados por ácido oleico, propio del aceite de oliva. ¡Quizá la grasa más saludable de la naturaleza!. Entre los poliinsaturados distinguimos entre los omega 3 y los omega 6. Esta denominación hace referencia a la situación en la molécula del primer doble enlace, y tiene mucha importancia. Los omega 6 están fundamentalmente en los vegetales, mientras los omega 3 se encuentran en el pescado azul y también en algunos vegetales. Tanto los unos como los otros tienden a bajar el colesterol y los omega 3 incluso los triglicéridos.

Todavía una última variedad, los ácidos grasos trans. Recuerda que dijimos que los ácidos grasos poliinsaturados son aceites. Esto significa que a temperatura ambiente son líquidos.

¿Entonces, cómo es posible que haya productos sólidos o pastosos como las margarinas confeccionadas con grasas vegetales, es decir, ácidos grasos poliinsaturados? Esto se consigue con la modificación química de los mismos. Se les hidrogena. En este proceso cambian su estructura, se hacen más rígidos, la orientación de sus átomos varía y se transforman en ácidos grasos trans. A pesar de ser insaturados los trans se comportan como saturados, suben el colesterol. ¡Vigilemos! No siempre las grasas de origen vegetal son buenas para la salud.

Para completar la información relativa a éste tema le recomendamos lea la respuesta a la pregunta 25

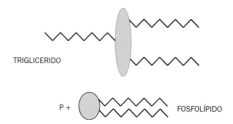

TRIGLICERIDO

P + FOSFOLÍPIDO

Figura 4. *Esquema de la estructura química de los triglicéridos y los fosfolípidos (las líneas quebradas representan ácidos grasos).*

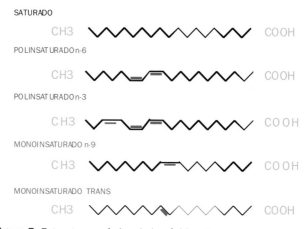

SATURADO

CH3 COOH

POLINSATURADO n-6

CH3 COOH

POLINSATURADO n-3

CH3 COOH

MONOINSATURADO n-9

CH3 COOH

MONOINSATURADO TRANS

CH3 COOH

Figura 5. *Estructura química de los ácidos grasos.*

Puntos clave:

- El colesterol es imprescindible para la vida, sin él no existiríamos.
- Unas concentraciones excesivamente altas pueden producir problemas.
- El colesterol «malo» LDL es el que va a parar a las arterias.
- El colesterol «HDL» es el que sale de las arterias.
- El colesterol de la sangre procede del que comemos y del que produce nuestro propio organismo.
- Nuestro intestino absorbe sólo la mitad del colesterol que comemos.
- El colesterol circula por la sangre en el interior de unas partículas rodeadas de proteínas que se denominan lipoproteínas.

2. Efectos del colesterol sobre la salud

6. ¿Qué síntomas da el colesterol?

El colesterol es un enemigo silente. A pesar de que sus concentraciones en la sangre suban mucho no da ningún síntoma. Nuestro organismo tiene formas de alerta ante las agresiones. Aumenta su temperatura provocando fiebre ante un proceso infeccioso, o muestra dolor ante una lesión. Es la forma de llamar la atención y poner los mecanismos de defensa en marcha. El colesterol no dispara ninguna alerta, va realizando su acción nociva de forma silente, a lo largo de muchos años, lento pero constante.

Cuando el colesterol produce síntomas, probablemente habremos llegado demasiado tarde para prevenir su efecto. Los síntomas serán los propios de las enfermedades arteriales, la angina de pecho o el infarto de miocardio, que se expresan con dolor en la región anterior del tórax o la trombosis cerebral que se traduce con dificultad para hablar o realizar ciertos movimientos.

Pero, es obvio que estos síntomas trascienden al colesterol. No son propios de sus elevaciones sino una consecuencia tardía. El colesterol no produce dolor, no da dolor de cabeza, ni mareos, ni tumefacción en

Figura 6. *El dolor torácico puede ser un aviso de enfermedad cardiovascular.*

las manos, ni hormigueos. Podemos tener el colesterol muy por encima de lo normal y no apreciar ningún síntoma.

En algunas formas hereditarias de colesterol en el que éste es muy alto desde el nacimiento, la enfermedad denominada hipercolesterolemia familiar, sí pueden observarse signos de su elevada concentración. Los pacientes pueden tener arco corneal, que es un círculo blanco alrededor de la córnea ocular, la estructura que cubre el iris o región coloreada de nuestros ojos. Un círculo blanco alrededor del color de nuestros ojos en una persona de menos de cincuenta años puede ser debido a colesterol de tipo hereditario. También en estos casos puede acumularse en los tendones, bultos duros en los trayectos tendinosos, en el dorso de las manos, donde los dedos limitan con la mano, en los codos, o en el talón, sobre el tendón de Aquiles. Estos depósitos abultados se denominan xantomas tendinosos, o tuberosos si no afectan tendones, y también nos deben hacer pensar en el origen genético del colesterol.

Finalmente, habremos visto a personas que presentan unas manchas amarillentas en los párpados. Estas lesiones se conocen como xantelasmas y suelen ser cúmulos de colesterol. Si bien pueden denotar la presencia de colesterol alto, en muchos casos no tienen ninguna relación con este hecho y se observan en personas con colesterol normal. Aparte de estas situaciones muy especiales, en general, si queremos saber si tenemos el colesterol por encima de los valores normales tendremos que hacernos unos análisis preventivos; no vale esperar que nos encontremos mal. El colesterol no avisa, es traidor.

Para completar la información relativa a éste tema le recomendamos lea las respuestas a las preguntas 11 y 13

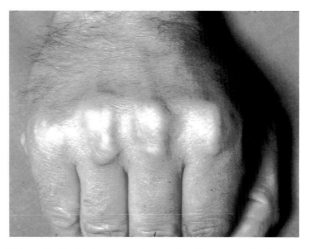

Figura 7. *Paciente con xantomas tendinosos en los tendones extensores de los dedos.*

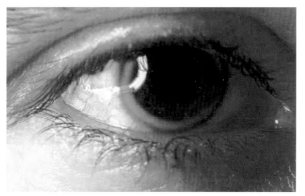

Figura 8. *Paciente con arco corneal.*

7. ¿Cómo puedo saber si tengo colesterol?

El colesterol no produce síntoma alguno; por tanto, la única forma de saber si la cantidad de colesterol que tenemos en la sangre es la adecuada es haciéndonos un análisis. En general, como medida de «screening» o detección, para saber si el colesterol es normal o no, es suficiente con la determinación del denominado colesterol total. Todos, a partir de los treinta años, deberíamos saber cuales son nuestras cifras de colesterol. Si éste es normal, no es necesario realizar análisis adicionales.

En general, recomendamos que las personas que tienen el colesterol normal se lo examinen cada cinco años. Si el resultado no es correcto, conviene ahondar en el análisis y observar las diversas fracciones, el colesterol bueno y el malo, el colesterol HDL y el LDL. En la mayoría de los laboratorios se puede determinar lo que se denomina un perfil lipídico completo: el colesterol total, el colesterol HDL, el colesterol LDL y los triglicéridos. El valor clave para determinar si hay que hacer alguna cosa con nuestro colesterol, si tenemos un colesterol que requiere vigilancia o tratamiento, es el colesterol LDL. Todo el tratamiento debe dirigirse hacia esta variable, no hacia el colesterol total sino hacia el colesterol LDL. El colesterol LDL suele calcularse a partir de los valores de colesterol total, HDL y triglicéridos mediante la siguiente fórmula:

Colesterol LDL = Colesterol total – colesterol HDL – triglicéridos divididos por cinco.

Para completar la información relativa a éste tema le recomendamos lea la respuesta a la pregunta 8

8. ¿Cuáles son los valores normales de colesterol?

De forma general, podemos decir que para la mayor parte de las personas el colesterol ideal debería estar por debajo de 200 miligramos por cada decilitro de plasma sanguíneo (mg/dl). Las cantidades de colesterol en sangre, sus concentraciones plasmáticas, se asocian de forma directa y continua a un mayor riesgo de padecer un infarto de miocardio. Esto significa que cuanto más colesterol se encuentre en la sangre más probabilidades se tienen de padecer la enfermedad cardiaca y cuanto menos colesterol menos posibilidades.

Por ello, el colesterol, cuanto más bajo mejor. Es decir una persona que tenga un colesterol de 250 tiene más riesgo que una que lo tenga de 200, y ésta a su vez más que la que lo tenga de 150. De hecho, cuando nacemos, nuestro colesterol es de unos 70 mg/dl y la mayor parte es del bueno, HDL. La incorporación paulatina a nuestra forma de alimentación hace que el colesterol ascienda hasta más de 200 mg/dl y predomine el LDL.

En muchas poblaciones indígenas de zonas de la tierra en la que todavía prevalece una cultura basada en la recolección de alimentos y la caza, las cifras de colesterol no superan los 100 mg/dl. ¿Es ésta la cifra propia de la especie humana? Quizá. Lo cierto es que las sociedades que mantienen unos valores de colesterol muy bajos según nuestros parámetros como, por ejemplo, en China, el número de infartos es escaso.

Figura 9. *La alimentación oriental se relaciona con niveles bajos de colesterol en la población.*

En España la mitad de la población tiene un colesterol superior a 200 mg/dl y un 15 por ciento lo tiene superior a 240 mg/dl, el cual ya se considera un valor que puede requerir tratamiento con medicamentos.

Pero el parámetro que marca el riesgo no es el colesterol total, sino el colesterol LDL, que debería ser inferior, como mínimo, a 130 mg/dl en una persona sana. En la tabla 2 mostramos la clasificación de los valores de colesterol.

Las elevaciones del colesterol deben tenerse en cuenta en tanto y cuanto pueden producir enfermedades cardiovasculares como el infarto, y en esta tarea el colesterol no trabaja solo. La presencia de los denominados factores de riesgo cardiovascular puede incrementar el efecto nocivo del colesterol. Así, en una persona diabética que ya tiene un mayor riesgo de sufrir problemas vasculares, un colesterol que consideraríamos normal para el resto de la gente puede serle perjudicial. Por tanto, los valores de colesterol deben tenerse en cuenta según la situación de riesgo de cada cual. La presencia de factores de riesgo adicionales hace que debamos ser más exigentes con los valores de colesterol.

¿Qué factores de riesgo son los que debemos tener en cuenta? Los más importantes son ser un hombre de más de cuarenta y cinco años o una mujer después de la menopausia, fumar, ser obeso, ser hipertenso, tener poco colesterol protector HDL y sobre todo si ya se ha tenido un infarto o se es diabético.

En caso de haber sufrido un infarto de miocardio o una trombosis cerebral, el colesterol, y en concreto el colesterol LDL, no debe ser tan sólo normal, sino que debemos conseguir que esté bajo, y esto significa que sea inferior, como mínimo, a 100 mg/dl, y no a los 130 mg/dl que comentábamos antes. En el caso de los diabéticos, la recomendación es similar. Su LDL debe ser inferior a 100 mg/dl, especialmente si su diabetes lleva más de diez años de evolución. En el resto de casos, se considera que si hay dos o más factores de riesgo de los mencionados, las concentraciones de LDL deben ser inferiores a 130 mg/dl y en el resto de casos en los que no haya absolutamente ningún factor adicional se puede funcionar adecuadamente con cifras inferiores a 160 mg/dl. Como puede verse, todo se centra en el colesterol LDL que es el que determina el riesgo y guiará el tratamiento.

En muchos laboratorios, en lugar de dar los valores de colesterol tradicionales se utiliza el denominado sistema internacional de unidades y nos dicen que nuestro colesterol es de 5,4 o de 7,3 milimoles por litro (mmol/l). Para pasar de este sistema al tradicional es muy sencillo. Se multiplica el valor del colesterol por 38,6 (peso molecular del colesterol). Si la conversión es la inversa, la multiplicación es por 0,0259. Por ejemplo, si nos dicen que el colesterol LDL es de 4 mmol/l, esto significaría que es de 155 mg/dl. Es cuestión de costumbre.

Para completar la información relativa a éste tema le recomendamos lea las respuestas a las preguntas 7 y 29

Colesterol total	
Deseable	<200
Limítrofe alto	200-239
Alto	>240
LDL	
Óptimo	<100
Casi óptimo	100-129
Limítrofe alto	130-159
Alto	160-189
Muy alto	190
HDL	
Hombres	>40
Mujeres	>60

Tabla 2. *Clasificación de los valores de colesterol en miligramos por decilitro. (Para pasar al sistema internacional multiplicar por 0,0259)*

9. ¿Cuándo tengo que hacerme análisis para saber si tengo colesterol?

Todos deberíamos saber nuestras concentraciones de colesterol a partir de cierta edad, pongamos por caso los treinta años. Si el colesterol es normal no es necesario hacer exploraciones adicionales y se recomienda repetir los análisis al menos una vez cada cinco años.

Si bien esta determinación es recomendable para personas sin otras alteraciones de su salud, sin embargo, es obligatoria para quienes tienen otras enfermedades que pueden influir sobre el corazón. Por ejemplo los que ya han sufrido un infarto o angina de pecho, una trombosis cerebral, las personas diabéticas, aquellos que tengan la presión alta, los obesos, los fumadores, y os que tienen antecedentes de familiares de primer grado que han sufrido un infarto en una edad joven.

Siempre que haya otros factores de riesgo debe estudiarse lo que hemos denominado como «perfil lipídico». Conocer nuestro colesterol es la única forma de poner las bases de la prevención de enfermedades graves como el infarto de miocardio.

Para completar la información relativa a éste tema le recomendamos lea la respuesta a la pregunta 7

A PARTIR DE LOS TREINTA AÑOS, TODOS DEBERÍAMOS CONOCER NUESTROS VALORES DE COLESTEROL

10. ¿Por qué el colesterol produce infarto?

El infarto de miocardio es la muerte de un trozo del músculo cardíaco y se debe a la oclusión de las arterias coronarias. Éstas son los conductos que llevan la sangre al miocardio, o músculo cardíaco. Cuando se bloquea su fuente de alimentación sanguínea se muere, se infarta. El colesterol contribuye a que se obstruyan estas arterias al depositarse de forma masiva en la pared de las mismas. Es como una tubería en la que la porquería llega a obstruir el flujo. Pero vayamos por partes.

¿Qué son las arterias? Todos los órganos de nuestro organismo necesitan que les llegue sangre. A través de ella se abastecen de alimento y les llega el oxígeno. También a través de ella se eliminan los desechos metabólicos. Sin sangre, ningún órgano puede subsistir, se muere, se infarta. La sangre que lleva el oxígeno fresco y alimento a los distintos territorios de nuestro organismo es transportada por un sistema de conductos que se denominan arterias. La sangre que regresa con los residuos metabólicos lo hace a través de las venas.

El corazón recibe sangre con dos finalidades distintas. La mayor parte llega a sus cavidades, las aurículas y ventrículos para ser bombeada al resto del cuerpo. Ésta es su función, mantener la sangre circulando. Pero de esta sangre no se alimenta. El músculo cardíaco o miocardio, una de las zonas de nuestro cuerpo que más trabaja, ya que no se detiene ni un solo instante a lo largo de nuestra vida y se contrae unas setenta y cinco veces por minuto de promedio, necesita alimentarse

Por ello, también recibe aporte nutricional y oxigeno como el hígado, los riñones o el cerebro. Éste le llega, como al resto, por conductos arteriales, unas arterias que rodean al corazón como una corona, son las coronarias. Si este flujo es obstaculizado, la zona del corazón que deja de recibir el aporte sanguíneo se muere, se infarta. Las arterias coronarias, al igual que otras arterias, sufren los efectos de los excesos de colesterol. Cuando hay mucho colesterol circulante éste se va depositando en las paredes de las arterias, también de las coronarias. Este depósito lento, a lo largo de los años produce una inflamación en dicha pared arterial, la cual se engruesa hasta que puede bloquear la luz del vaso y detener el flujo sanguíneo. Se produce un infarto.

En ocasiones, antes de que esto ocurra el corazón nota que el aporte sanguíneo va menguando, que no le llega el alimento en cantidad adecuada, se queja y avisa provocando dolor. Dolor cuando el paciente se mueve, hace un esfuerzo o se emociona, cuando el corazón se acelera. Es decir, cuando más alimento requiere dado que está trabajando más. Este dolor es lo que conocemos como angina de pecho. Debido al aviso, la persona suele cambiar lo que estaba haciendo, por ejemplo, si hacía ejercicio se detiene. Con ello, el ritmo cardíaco vuelve a desacelerarse y no requiere tanta sangre, el dolor cesa, la angina para. No se ha producido la muerte del músculo cardíaco- De momento nos hemos librado del infarto.

Pero esto no siempre es así, no siempre hay una segunda oportunidad. En muchos casos, la primera obstrucción es la decisiva. Sabemos que el colesterol también tiene algo que ver con esta forma más abrupta de infarto. En estos casos, la pared arterial lesionada, llena de colesterol, e inflamada se fisura, se rasga y activa la formación de un coágulo en su superficie, una trombosis, que provoca el cierre total de la arteria, sin pasar por el preaviso de la angina de pecho y pudiendo incluso llevar a la muerte. Es como un forúnculo de colesterol en la pared de la coronaria que revienta y cierra la arteria de forma aguda. Cuanto más colesterol hay en la pared, mayores son las posibilidades de tener un infarto.

Este proceso lento de depósito de colesterol, lesión e inflamación de la pared arterial se denomina arteriosclerosis (de arteria, y esclerosis que significa «rígi-do»). Los médicos de la antigua Grecia ya se dieron cuenta de que las arterias coronarias de sus coetáneos fallecidos bruscamente después de un episodio de dolor torácico estaban enfermas, eran duras y rígidas. Estaban arteriosclerósicas.

A pesar de todo lo que hemos comentado, deberíamos tener en cuenta que el colesterol no es lo que produce los infartos. Es un factor entre otros muchos. Lesiones arterioscleróticas de las coronarias las tenemos todos a la larga, lo que ocurre es que en algunos casos esta lesión se acelera y las complicaciones aparecen mucho antes. Los factores que provocan esta aceleración se conocen como factores de riesgo cardiovascular y el colesterol es uno de ellos, pero uno entre varios, como la presión arterial alta, el azúcar, el tabaco. Su presencia aumenta nuestro riesgo de padecer un infarto pero de ningún modo lo asegura. La persona con colesterol alto tiene más probabilidades de padecer la enfermedad que aquellos sujetos con colesterol bajo, pero es un tema de probabilidades. Se juega con más números a esta macabra lotería.

Para completar la información relativa a éste tema le recomendamos lea las respuestas a las preguntas 1 y 15

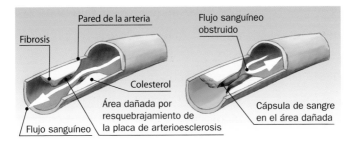

Figura 10. *La placa de arterioesclerosis y la formación de trombosis.*

11. ¿Por qué sube el colesterol?

Son muchas las causas del aumento del colesterol. La más frecuente es la asociada a una alimentación excesivamente rica en colesterol, en grasas saturadas o en aporte calórico. La obesidad y el sedentarismo suelen también facilitar el aumento de colesterol.

Pero hay muchas otras circunstancias que pueden provocar su incremento, la hipercolesterolemia. Ciertas enfermedades pueden condicionar acumulaciones de colesterol en la sangre, entre ellas los trastornos del tiroides, la diabetes, enfermedades del hígado y de las vías biliares, trastornos de la función del riñón, alteraciones endocrinológicas y, aunque parezca un contrasentido, la anorexia nerviosa, y muchas afecciones más. Saber esto es muy importante, porque no sería la primera vez que una persona está muy preocupada en bajar su colesterol y le pasa por alto que su enfermedad real es una alteración del tiroides, por ejemplo, y su colesterol no se corregirá hasta que se solucione dicha afección.

Hay ciertos fármacos cuyo uso provoca hipercolesterolemia, por ejemplo, la cortisona, algunas pastillas que tomamos para bajar la presión, como ciertos diuréticos, algunos tratamientos contra la depresión, el cáncer o enfermedades neurológicas y psiquiátricas. Si no detectamos este hecho, podemos estar medi-

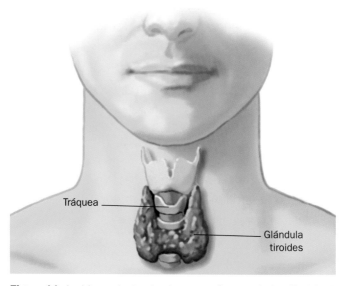

Tráquea

Glándula tiroides

Figura 11. *La hipercolesterolemia es común cuando la glándula tiroides funciona por debajo de lo normal (hipotiroidismo). Si se trata el hipotiroidismo, los niveles de colesterol suelen mejorar.*

cándonos para el colesterol cuando en realidad deberíamos dejar de tomar ciertos medicamentos.

Si logramos descartar todos los elementos de confusión anterior, nos quedan las causas inherentes al metabolismo de la persona. Nosotros necesitamos el colesterol, lo comemos, nuestro intestino lo absorbe,
circula por la sangre, llega al hígado, desde allí circula
de nuevo hacia los distintos órganos del cuerpo y regresa al hígado para ser eliminado por la bilis. Estos pasos
metabólicos están estrechamente regulados genética-
mente. La dotación genética es la que determina que
los distintos pasos metabólicos sean más o menos eficaces, más o menos rápidos, que el tránsito lipídico
sea fluido o se atasque en alguno de sus recovecos.

Hay individuos con un metabolismo altamente
eficaz. Son estas personas que nos suelen dar
tanta envidia porque coman lo que coman están
delgadas y tienen su colesterol bajo mínimos. No
hacen nada al respecto, no tienen ningún mérito,
es la carga genética que recibieron al nacer.

En el otro extremo están los miembros del grupo an-
tagónico. Una mínima comida les hace subir el colesterol. Ni siquiera una dieta vegetariana les ayuda. Su
colesterol es el resultado de alteraciones genéticas

de su metabolismo. Un sistema metabólico incapaz de gestionar adecuadamente la cantidad de colesterol que precisa su organismo. Esta carga genética es hereditaria, al igual que lo puede ser la altura o el color de los ojos.

En algunos casos la herencia se circunscribe a eso, a una peculiaridad, a una tendencia. Estos rasgos genéticos heredados, poco definidos, pero que hacen que tengamos tendencia a aumentar nuestro colesterol. Estas situaciones suelen depender en proporción importante de lo que denominamos «la interacción con el ambiente». Es decir el sistema metabólico es ligeramente defectuoso, pero si lo enfrentamos a una dieta muy rica en grasa, o a un cierto grado de obesidad o sedentarismo, el resultado es nefasto. Lo que antes era una discreta elevación del colesterol se convierte ahora en una hipercolesterolemia severa.

En otros casos, los menos, la herencia es más evidente y se manifiesta en forma de enfermedades del metabolismo que se transmiten de padres a hijos. Ciertas formas de aumento grave de colesterol siguen este tipo de herencia y entonces hablamos de formas como la hipercolesterolemia familiar.

Así pues, si tiene el colesterol alto, empiece a pensar si su dieta es adecuada, repase si padece alguna enfermedad o toma medicamentos que puedan subir el colesterol. Si todo esto le da resultado negativo, usted ha heredado un metabolismo ineficaz para gestionar el colesterol de su cuerpo. Deberá aprender a vivir con esta alteración toda su vida, ha de aprender a comer de forma adecuada para sus necesidades metabólicas, a evitar otros factores que aumenten su riesgo de padecer un infarto, como por ejemplo el tabaco y, si es necesario, deberá seguir tratamiento con medicinas.

Para completar la información relativa a éste tema le recomendamos lea las respuestas a las preguntas 12 y 13

12. ¿Pueden tener colesterol los niños?

Sí, el colesterol puede estar elevado desde épocas muy tempranas de la vida. En ocasiones, la hipercolesterolemia infantil es difícil de detectar, porque se comparan los valores de los niños con los de los adultos, que suelen ser más altos, y parecen estar dentro de la normalidad. Antes de los 18 años, el colesterol no debería superar los 180 mg/dl. Valores superiores no indican ningún tipo de riesgo inmediato, sino simplemente que habrá que controlar el colesterol, porque probablemente existe algún problema dietético o metabólico.

Un niño con colesterol será un adulto con más posibilidades de tener problemas cardíacos, ni más ni menos que esto. No hay ningún peligro a corto plazo pero debemos prevenir el futuro. Antes de decidir si un niño tiene colesterol habrá que determinar las diferentes subclases, en especial el colesterol de las HDL, o colesterol bueno. Los niños y adolescentes y especialmente las niñas, suelen tener mucho colesterol HDL. Por ello, si sólo miramos el colesterol total puede parecer que éste estuviera elevado, pero si es a expensas del bueno, el HDL y no del LDL, el malo, mejor que mejor. No hay que hacer nada, al contrario ¡ojalá esta situación se mantenga toda la vida!

Figura 12. *Es necesario vigilar la alimentación de los niños, fomentando el consumo de productos naturales frente a los industriales.*

A pesar de todo lo comentado no debemos quitar importancia al colesterol de los niños. Los hábitos sociales, alimentarios y de actividad física están cambiando de forma acelerada. La bollería ha sustituido a formas más tradicionales de alimentarse y los juegos con actividad física se cambian por las videocónsolas y el ordenador.

Una alimentación inadecuada y la tendencia al sedentarismo en la infancia son la causa de que esté aumentando el índice de obesidad infantil. Se empiezan a detectar formas de diabetes del adulto en edades juveniles y las cifras medias de colesterol están aumentando en los niños. Pero el mejor antídoto no es el tratamiento con medicamentos o una dieta estricta. La vacuna contra el colesterol infantil es una educación alimenticia que haga que el niño coma de forma adecuada, apoyo familiar a la práctica de deporte y a la actividad física en general y educación para evitar el inicio en el tabaquismo. En este sentido, el ejemplo paterno suele ser de una gran ayuda.

En algún caso, los niños tienen cifras de colesterol muy elevadas a pesar de que la alimentación y las otras medidas se lleven de forma correcta. Uno de cada quinientos niños tiene una hipercolesterolemia de origen genético. Suelen ser los hijos de familias en las que el padre o la madre ya han sido tratados

por colesterol alto y los hijos han heredado el problema. Sólo en el caso de la denominada hipercolesterolemia familiar puede estar indicado un tratamiento
farmacológico en los niños, pero dependerá del grado de elevación del colesterol y de la existencia de
antecedentes en la familia de problemas cardíacos
precoces.

*Para completar la información relativa a éste tema le
recomendamos lea las respuestas a las preguntas 11
y 13*

13. ¿Es hereditario el colesterol?

Las elevaciones anómalas de colesterol pueden ser
de origen hereditario en un quince o veinte por ciento
de los casos. La forma más claramente identificada
como hereditaria es la alteración denominada hipercolesterolemia familiar. Esta alteración se produce en
una de cada quinientas personas, y representa el cinco por ciento de todas las formas de elevaciones de
colesterol. Se caracteriza por unas cifras de colesterol que suelen superiores a los trescientos miligramos por decilitro ya en la edad infantil, pudiendo llegar incluso a quinientos.

Se trata de una situación claramente hereditaria que
sigue las leyes de Mendel. Si el padre o la madre tienen esta alteración, las posibilidades de que un hijo

la herede son de un cincuenta por ciento. Las personas afectadas tienen colesterol alto desde el nacimiento y lo tendrán el resto de su vida.

Se conoce perfectamente la causa genética del trastorno que consiste en que el gen que determina la eliminación del colesterol LDL de la sangre no funciona correctamente, ya que sólo actúa a un cincuenta por ciento de su capacidad. Este gen se denomina receptor de LDL. La proteína que de él se deriva actúa como el enganche del colesterol, las lipoproteínas LDL, a las células del hígado para que se introduzca en el mismo y no esté por la sangre.

Si esta sustancia no funciona, el colesterol permanece más tiempo en la circulación dado que nadie lo retira de allí. Esta situación provoca que se vaya depositando en las arterias y aumente el riesgo de padecer un infarto. Y esto ¡desde el nacimiento y durante toda la vida! Por ello, esta situación debe ser corregida con prontitud.

Hoy en día, no hay problemas para hacer un diagnóstico clínico y genético correctos y existen tratamientos muy eficaces para controlar el colesterol. Por tanto, las personas que están afectadas no deben tener ningún problema a lo largo de sus vidas.

Lo que hemos comentado es lo que les ocurre a la mayor parte de las personas que heredan esta anomalía metabólica, pero existen ciertos casos en los que es más grave. Son aquellas situaciones en las que el sujeto afectado recibe el gen defectuoso tanto de parte del padre como de la madre. ¡Sí, los dos genes anómalos!

Ello implica que tanto el padre como la madre están afectados por este trastorno y los dos lo transmiten al hijo. Resultado, la maquinaria para retirar el colesterol de nuestra sangre no actúa al cincuenta por ciento, como hemos dicho antes, sino que es totalmente defectuosa. No funciona. En estos casos, denominados homozigotos, a diferencia de los habituales o heterozigotos, el colesterol llega a cifras de hasta 1000 mg/dl. Esta cantidad de colesterol se deposita muy rápidamente en las arterias y el infarto se puede producir en edades muy tempranas, en los niños.

¡Niños en peligro de infarto antes de los 12 años! Pero no seamos alarmistas, esta grave alteración hereditaria del metabolismo del colesterol sólo ocurre en uno de cada millón de nacimientos. En España debe haber unos 40 casos en total y actualmente hay tratamientos que pueden ayudar a controlar el proceso, aunque son relativamente aparatosos, como pueda ser el trasplante hepático o el recambio plasmático periódico, la plasmaféresis.

Pero insistimos en que ésta es una situación excepcional. Lo que sí es más habitual es la segunda gran alteración hereditaria del colesterol que se denomina hiperlipemia familiar combinada. El nombre lo dice todo. «Hiperlipemia» porque hay muchos lípidos, grasa en la sangre. «Familiar» por que es hereditaria y habrá varias personas de la familia afectadas. Y «combinada» por que la alteración provoca la elevación combinada de colesterol y triglicéridos, no sólo colesterol como en el caso anterior.

En las familias de estas personas encontramos a miembros con colesterol, otros con triglicéridos o con las dos cosas y, además, van variando: el que tenía colesterol ahora presenta colesterol y triglicéridos, etcétera. La causa genética no es bien conocida pero sí sabemos que el problema consiste en que el hígado de estas personas fabrica mucha grasa, ésta se pone en circulación y puede atacar las arterias y aumentar el riesgo de infarto.

Esta forma de alteración del metabolismo de las grasas es la causa del problema en un 15 por ciento de las personas con colesterol. La gran mayoría, un 80 por ciento, no tiene estas formas de colesterol hereditario, aunque puedan existir influencias genéticas menores. Por tanto, una de cada cinco personas (un veinte por ciento) que tienen colesterol puede estar afectada de una forma hereditaria. Un cinco por ciento de hipercolesterolemia familiar y un quince por ciento de hiperlipemia familiar combinada.

Para completar la información relativa a éste tema le recomendamos lea las respuestas a las preguntas 11 y 12

14. ¿Es igual de peligroso el colesterol para los hombres que para las mujeres

El efecto del colesterol sobre las arterias en general y sobre las coronarias en particular puede verse magnificado por la coexistencia de otros factores de riesgo cardiaco, como por ejemplo fumar, ser diabético o tener la presión alta. El sexo masculino es uno de estos factores adicionales. Los efectos del colesterol los sufren de forma más acusada los hombres que las mujeres.

Estudios epidemiológicos que han comparado la cantidad de infartos que ocurren en diferentes países del mundo, han demostrado que las mujeres tienen tasas de infarto hasta cuatro veces inferiores a las de los hombres. ¿Significa ello que las mujeres no tienen porque mirarse el colesterol? ¿Son acaso inmunes al infarto? Por desgracia, la respuesta a ambas preguntas es no.

La relativa protección de las mujeres parece debida en gran parte a su diferencia hormonal más manifiesta, la presencia de estrógenos. Estas hormonas sexuales, a diferencia de la testosterona, su equivalente masculino, actúan aumentando el colesterol bueno y por ello confieren protección. Pero en esta ventaja radica también el problema.

Los estrógenos son las hormonas principales durante el período fértil de la mujer. Cuando se llega a la edad de la menopausia, los estrógenos disminuyen y, entre otros efectos biológicos, desciende el colesterol bueno HDL y sube el malo LDL. Es decir, la situación beneficiosa de protección de la mujer dura hasta la menopausia y a partir de este momento, los cincuenta años más o menos, si no ha habido alguna otra circunstancia que la haya adelantado, se produce la igualdad en este campo entre hombres y mujeres.

Sin embargo, debemos recordar que el efecto del colesterol es a largo plazo. Los hombres con colesterol alto empiezan la aceleración del proceso arteriosceroso a partir de los treinta o cuarenta años. En el caso de las mujeres, el inicio tiene lugar unos diez o quince años más tarde. El punto álgido de peligro cardiovascular de las mujeres acontece con un retraso de unos diez años respecto al hombre, hacia los sesenta años. ¿Quizá tenga esto algo que ver con que hay más viudas que viudos?

Pues seguramente, la esperanza de vida de las mujeres es unos cinco años más larga que la de los hombres y el hecho de que las enfermedades cardiovasculares empiecen más tarde en ellas algo tiene que ver. Pero cuidado, que se inicien de forma más tardía no significa que tengan menos. Las enfermedades cardiovasculares son la primera causa de muerte también en las mujeres, al igual que en los hombres, por encima de todas las formas de cáncer juntas.

Una de cada tres mujeres fallece por trastornos cardiovasculares, por enfermedades de las arterias ligadas al depósito de colesterol en sus paredes, por arteriosclerosis. Lo que ocurre es que la forma de enfermedad vascular que más sufre el sexo femenino es la propia de una edad más avanzada y a esta edad son más frecuentes los accidentes cerebrales que los cardíacos. Las mujeres tienen con más frecuencia lo que conocemos como ataques de apoplejía o trombosis cerebral. En estos casos, las arterias que se bloquean no son las coronarias sino las cerebrales y por ello la manifestación clínica es muy distinta, desde ligeros hormigueos en la cara o las extremidades de una parte del cuerpo, hasta parálisis completas de medio cuerpo, la entrada en coma e incluso la muerte.

Otro aspecto que altera la protección de las mujeres con respecto al colesterol es la diabetes. Las mujeres que tienen azúcar pierden la protección hormonal, incluso antes de la edad de la menopausia, y deben

> Las mujeres sufren también los efectos del colesterol, especialmente después de la menopausia. Si padecen de diabetes los efectos del colesterol son más tempranos.

Para completar la información relativa a éste tema le recomendamos lea las respuestas a las preguntas 10 y 15

15. ¿Qué me puede ocurrir si tengo colesterol?

Teniendo en cuenta que afortunadamente colesterol tenemos todos, sino no existiríamos, entendemos que la formulación correcta de la pregunta a la que vamos a responder sería ¿qué me puede ocurrir si tengo el colesterol alto?

El colesterol, salvo en aquellas formas hereditarias en las que llega a depositarse en ciertas zonas del cuerpo, no suele dar síntomas. Es decir, lo más probable es que no produzca ninguna señal de alerta.

El colesterol actúa de forma silenciosa, a lo largo de mucho tiempo. Su efecto consiste en depositarse de forma anómala en la pared de las arterias hasta ocluirlas. Cuando esto ocurre se produce el infarto o la angina de pecho si las arterias afectadas son las coronarias, la apoplejía cerebral si son las arterias de este territorio las que enferman o bien alteraciones en el riego de las piernas manifestadas con dolor en las pantorrillas al caminar, la denominada enfermedad vascular periférica. En el trasfondo de todos estos procesos, cardíaco, cerebral y periférico, la lesión de la arteria es similar y se caracteriza por la infiltración masiva de colesterol, que provoca una inflamación en la pared que puede llegar a ocluirla en su totalidad. Este proceso se conoce como arteriosclerosis.

El proceso de la arteriosclerosis es universal. Afecta a todos los individuos en mayor o menor grado a medida que nuestra edad avanza. Ahora bien, será más o menos extenso y se complicará antes o después dependiendo de los factores del individuo. En un sujeto fumador, diabético y con colesterol, el trastorno se acelerará y podrá dar complicaciones en edades precoces.

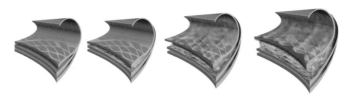

Figura 13. *Acumulación de grasa en la pared de una arteria.*

Pero también podemos hacer la lectura inversa: incluso sin un colesterol alto podemos padecer la enfermedad, y así debe entenderse el efecto del colesterol. Un colesterol alto sólo significa que nuestro riesgo de padecer sus complicaciones, un infarto por ejemplo, es más elevado, pero no confiere la seguridad de que esto vaya a ocurrir. Podemos tener el colesterol alto toda la vida y quizá no nos ocurra nada. Y al contrario, no podemos asegurar que con un colesterol bajo no vayamos a padecer un infarto, aunque es cierto que en este último caso las posibilidades son mucho menores.

Cada cuarenta miligramos de colesterol de más, el riesgo de tener un infarto antes de cinco años aumenta un veinte por ciento. Si de cien personas con un colesterol de doscientos miligramos, unas diez van a tener un infarto en los próximos años, de entre cien personas con colesterol de doscientos cuarenta lo van a padecer doce.

Estas cifras se magnifican si además se fuma, se es diabético o hipertenso. ¿Es muy poca cosa? Nosotros debemos decidir si nos la jugamos o no. De hecho es lo que hacemos cuando por ejemplo decidimos fumar, o ¿acaso no sabemos que fumar aumenta nuestro riesgo de infarto y de muchas otras cosas? Asumimos el riesgo y punto.

Para conocer cual es nuestro riego cardiovascular se han elaborado una serie de tablas e índices basados en estudios epidemiológicos. El más reconocido es el estudio Framingham. Ésta es una población cercana a Boston donde hace más de cincuenta años se inició uno de los estudios epidemiológicos punteros de la historia de la medicina. Se estudió a los habitantes de la ciudad de una edad determinada mediante análisis de sangre y otros parámetros. A partir de este momento, se fueron registrando las enfermedades que desarrollaban y éstas se relacionaban con los estudios iniciales. De aquí se dedujo que aquellas personas con la presión alta tenían más problemas vasculares o que el colesterol alto propiciaba el infarto de miocardio, e incluso que fumar acarreaba múltiples problemas de salud. Mediante cálculos matemáticos se llegó a definir un índice de riesgo de padecer infarto cuyas variables principales eran la edad, el sexo, el fumar o no, el colesterol, la presión y la diabetes. Si aplicamos nuestras características a este índice sabremos si estamos en una situación de bajo, medio o alto riesgo. Las personas de alto riesgo deben tratarse de forma enérgica.

En la figura siguiente se muestra la tabla de Framingham. Gracias a ella, usted puede ver cual es su riesgo de padecer un infarto en los próximos diez años. Localice sus cifras de colesterol y presión arterial en las mismas según sea hombre o mujer y fume o no fume. Si es usted diabético el riesgo es el doble del que dan las tablas. ¿Es usted joven?

PREVENCIÓN PRIMARIA DE ENFERMEDAD
CARDIOVASCULAR

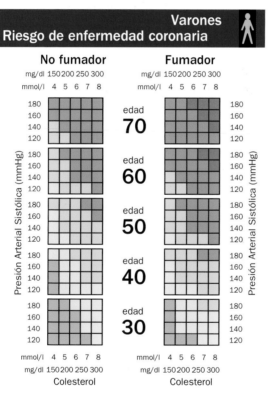

Tabla 3. *Verde: riesgo inferior al 5% en los próximos 10 años; **amarillo:** entre 5 y 10%; **naranja:** entre 10 y 20%; **rojo:** superior a 20%. En caso de diabetes el riesgo resultante debe multiplicarse por 2 en los hombres y por 3 en las mujeres.*

PREVENCIÓN PRIMARIA DE ENFERMEDAD CARDIOVASCULAR

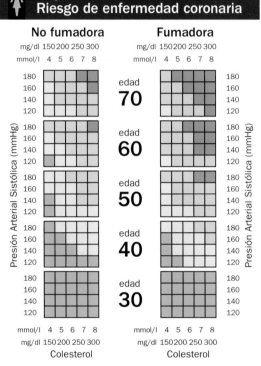

Tabla 4. *Verde:* *riesgo inferior al 5% en los próximos 10 años;* ***amarillo:*** *entre 5 y 10%;* ***naranja:*** *entre 10 y 20%;* ***rojo:*** *superior a 20%. En caso de diabetes el riesgo resultante debe multiplicarse por 2 en los hombres y por 3 en las mujeres.*

¡Haga una prueba! Mire que riesgo tendría si tuviera 60 años, ¡quizá la perspectiva de su futuro le haga meditar!

Los médicos pueden informarnos del riesgo, pero somos nosotros los que deberemos tomar las decisiones respecto a la prevención de nuestra salud.

Para completar la información relativa a éste tema le recomendamos lea las respuestas a las preguntas 10 y 14

Puntos clave:

- El colesterol debe ser inferior a 200 miligramos por decilitro de plasma sanguíneo.
- El colesterol que determina el riesgo de enfermar es el LDL «malo», que debería estar por debajo de 160 si no se tiene ningún otro factor de riesgo adicional.
- Si se es diabético o se ha padecido un ataque cardiaco, el colesterol «malo» LDL debe ser inferior a 100.
- El colesterol alto aumenta el riesgo de padecer infarto de miocardio y otras alteraciones vasculares.

3. Alimentos y colesterol

16. ¿Cómo puedo evitar el colesterol?

Las causas del colesterol elevado son múltiples. Ciertas enfermedades del sistema endocrino, del hígado, del riñón, la diabetes, ciertas medicinas, o alteraciones propias de nuestro metabolismo pueden provocar aumentos de colesterol en la sangre. Por ello, si nuestro colesterol ya es alto, antes de intentar poner remedio a la situación debemos saber cual es el motivo exacto.

En unos casos, especialmente cuando la causa es hereditaria, necesitaremos tratamiento farmacológico, en otros quizá no sea necesario. Pero independientemente de la causa, será importante actuar sobre los tres pilares de la prevención cardiovascular: la alimentación, el ejercicio físico y el tabaco.

Una alimentación incorrecta puede aumentar el colesterol, así como la obesidad derivada en parte de la inactividad física. El tabaco, entre otros efectos nocivos, puede bajar el colesterol bueno, el HDL.

Por tanto, si tenemos un colesterol alto debemos buscar su causa y seguir un tratamiento basado tanto en la corrección de aspectos dietéticos, práctica de actividad física y cese del tabaquismo, como tomar medicamentos si el médico así lo prescribe. Si nuestro colesterol es normal y lo que deseamos es evitar que suba, lo mejor que podemos hacer es seguir tam-

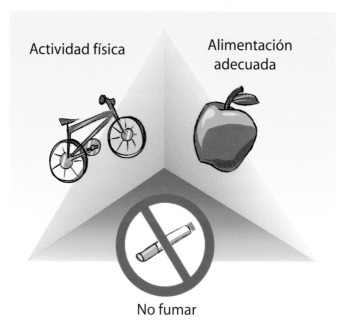

Figura 14. *Trípode en el que se basa la prevención cardiovascular.*

bién las normas sobre alimentación, ejercicio y tabaquismo. Llevar lo que conocemos como vida sana es el mejor antídoto contra el colesterol y las enfermedades del corazón.

Para completar la información relativa a éste tema le recomendamos lea las respuestas a las preguntas 9, 17 y 18

17. ¿Qué alimentos producen colesterol?

La elevación del colesterol no suele estar motivada por un único tipo o un grupo reducido de alimentos, sino por dietas que en su conjunto no son adecuadas. Es decir no hay alimentos que de forma absoluta estén contraindicados para el colesterol. Sí lo estará su cantidad diaria o su proporción respecto al conjunto de la alimentación.

Por tanto, no debemos abordar la situación como un listado de alimentos prohibidos, que una vez eliminados de nuestra dieta nos habrán solucionado el problema. El tema es más complejo. Desde hace muchos años sabemos como debería ser una dieta ideal, y ésta puede prepararse de forma experimental. De hecho, podemos mantener mediante alimentación artificial durante años a personas que no pueden nutrirse por ellas mismas. El problema es que queremos disfrutar comiendo y no nos adaptaríamos a un licuado que contuviera todos los nutrientes necesarios en sus más estrictas proporciones.

Debemos comer alimentos y todos tienen una composición compleja con unos elementos más o menos adecuados para cada situación. La alimentación correcta es la que nos permite comer de forma variada de manera que al final el conjunto de sus componentes nos aporte los nutrientes necesarios en sus justas proporciones.

Una vez hecha esta reflexión vamos a analizar aquellos alimentos cuya proporción debe limitarse en caso de tener un exceso de colesterol. Podemos centrarnos en dos grandes grupos, los que contienen colesterol y los que contienen grasa saturada. Parece lógico que si queremos disminuir nuestro colesterol debamos disminuir la cantidad de colesterol que ingerimos, y, por ello, deberemos moderar el consumo de alimentos muy ricos en colesterol. La yema de huevo es el ejemplo más cotidiano, su contenido de cerca de doscientos miligramos de colesterol aporta ya las necesidades totales para un día. Otros ejemplos son las vísceras, o el marisco.

Una advertencia, sin embargo: nuestro cuerpo tiene un límite a la absorción de colesterol; no todo el que ingerimos entra a nuestra sangre sino sólo un cincuenta por ciento. Además, la cantidad de colesterol de la dieta suele estar entre trescientos y quinientos miligramos, por lo que el impacto metabólico total es inferior al del resto de grasas de la comida de las que tomamos más de sesenta gramos al día y absorbemos en su totalidad.

Por tanto, los alimentos que contienen colesterol deben vigilarse, pero no son el elemento principal en el diseño de nuestras dietas para bajar el colesterol. Tiene un impacto mucho mayor la cantidad de grasa y en concreto de grasa saturada. Sí, el colesterol es una grasa, pero nos referimos ahora a los ácidos grasos, a lo que identificamos como grasa en los alimentos, la grasa que acompaña a un filete, a las vetas blancas del jamón. Esta grasa está compuesta por triglicéridos que no son más que moléculas que trasportan tres ácidos grasos.

Los ácidos grasos los clasificamos según sus características químicas en saturados, monoinsaturados y poliinsaturados, según tengan en su molécula, ninguno, uno o más de un doble enlace. Esta simple diferencia hace que la grasa tenga características físicas distintas.

Los saturados son sólidos a temperatura ambiente y son la grasa propia de los animales terrestres. Las carnes de bovino, ovino y cerdo contienen este tipo de grasa, pero atención porque también se encuentran en ciertos vegetales, como el aceite de palma y de coco que se utilizan en ciertos preparados de bollería.

Los monoinsa. rados son líquidos, su principal representante es el ácido oleico, componente básico del aceite de oliva. Y 'os poliinsaturados, de los que distinguimos los omega-3 y los omega-6 son grasas líquidas hasta temperaturas muy bajas. Los primeros los encontramos sobre todo en los vegetales, y los segundos en ciertos vegetales y el pescado azul.

De forma general, los saturados son los que suben el colesterol, mientras que los mono y poliinsaturados no. Por ello, al diseñar una alimentación que tienda a reducir el colesterol deberemos limitar el consumo de carnes. La carne de vacuno, cordero o cerdo debería reservarse a unas dos comidas por semana. Los embutidos deben contemplarse como elementos ocasionales de nuestra alimentación. Las carnes de aves, como el pollo, el pavo o bien las de conejo, contienen menos grasas saturadas y una mayor proporción de mono y poliinsaturadas, por lo que suelen ser una buena alternativa. La leche entera debe limitarse, o sustituirse por preparados descremados. El uso de mantequilla también debe restringirse o sustituirse por margarinas. Los productos de bollería y pastelería suelen contener manteca en abundantes proporciones. Cuanto mejor sabe un pastel más manteca contiene. Debemos vigilar su consumo, dejarlo para días especiales.

Junto al colesterol y las grasas saturadas hay un tercer tipo de alimento que sube el colesterol de la sangre. Es un tipo de grasa polinsaturada, sí, de estas que hemos dicho que eran beneficiosas: son las grasas trans. Los ácidos grasos mono o poliinsaturados son líquidos, pero existe una variedad que es la forma trans con una configuración parecida a los saturados y que metabolitamente actúa como éstos.

Se encuentran en una gran variedad de alimentos, pero suelen producirse durante el procesado industrial de los insaturados para trasformarlos en sustancias de consistencia sólida o pastosa, en la confección de margarinas, por ejemplo. Por ello, la simple indicación de que un alimento contiene grasa vegetal no nos dice que sus efectos sean saludables. Tanto el aceite de coco, como el de palma, que contienen grasas saturadas o aquellos derivados de grasas vegetales pero convertidas en parte en trans, son vegetales, pero pueden elevar nuestro colesterol.

Para completar la información relativa a éste tema le recomendamos lea las respuestas a las preguntas 4 y 18

ALIMENTOS	RECOMENDABLES (todos los días)	LIMITADOS (máximo 2-3 veces a la semana)	DESACONSEJADOS (excepcionalmente)
Cereales	Pan, pasta alimenticia, arroz, maíz (preferible de tipo integral), sémola, tapioca.	Cereales no integrales. Bollería confeccionada con aceite de girasol (magdalenas, bizcochos) Pan de molde, biscotes.	Bollería en general (croissant, ensaimada, etc), galletas, aperitivos tipo ganchitos, cortezas, etc.
Verduras, hortalizas, legumbres y frutas	Todas (es recomendable comer 3 raciones de fruta y 2 o más de otros vegetales al día)	Patatas fritas de bolsa preparadas con aceite de oliva o girasol.	Coco. Patatas fritas de bolsa preparadas con aceites de composición desconocida. Verduras y legumbres cocinadas con grasas tipo chorizo, beicon, etcétera.
Huevos, lácteos y derivados	Leche desnatada, yogur desnatado. Productos elaborados con leche desnatada. Clara de huevo.	Queso fresco o con bajo contenido graso. Leche semidesnatada. Huevo entero.	Leche entera. Todos los demás quesos. Nata y crema de leche. Flanes, natillas, cremas, cuajadas y batidos
Pescado y marisco	Pescado blanco y azul. Conservas en lata.	Conservas en aceites de oliva o girasol. Marisco	Frituras comerciales o con aceites no recomendados. Caviar, huevas de pescado.
Carne y aves	Pollo, pavo, conejo (sin piel y sin grasa)	Cortes magros de ternera, buey, caballo, cordero, cerdo. Jamón (sin grasa). Hamburguesas magras.	Embutidos, salchichas, beicon, hamburguesas, vísceras y despojos. Patés. Pato y ganso.

Tabla 5. Recomendaciones alimentarias (Adaptadas de la SEA, Sociedad Española de Arteriosclerosis, 2005)

ALIMENTOS	RECOMENDABLES (todos los días)	LIMITADOS (máximo 2-3 veces a la semana)	DESACONSEJADOS (excepcionalmente)
Grasas y aceites	Aceite de oliva preferentemente (mejor virgen). Aceites de semillas (girasol, maíz)	Margarinas en que se haga constar que carecen de ácidos grasos trans.	Mantequillas, manteca de cerdo, tocino, sebo. Aceites de palma y coco. Aceites vegetales hidrogenados.
Dulces	Repostería y postres elaborados con leche desnatada y aceite sin yema de huevo. Mermelada, miel, azúcar (con moderación)	Repostería y postres elaborados con leche desnatada y aceite con yema de huevo. Helados de agua, granizados y sorbetes. Turrón y mazapán.	Pastelería y bollería en general. Postres que contengan lácteos enteros y/o mantequilla. Chocolate con menos del 75% de cacao. Caramelos.
Frutos secos	Almendras, avellanas, nueces, cacahuetes, etc. (preferibles crudos y sin sal)		
Bebidas	Agua mineral, zumos naturales, café (máximo 3/día), té, infusiones. Vino, cerveza con moderación		Refrescos azucarados. Bebidas alcohólicas destiladas.
Especias y salsas	Todas las especias. Salsas elaboradas con aceite de oliva, vinagre, mostaza o alioli.	Mayonesa hecha con huevo.	Bechamel y salsas que contengan leche entera, mantequilla, huevo y/o grasas de origen animal.

Tabla 5. Recomendaciones alimentarias (Adaptadas de la SEA, Sociedad Española de Arteriosclerosis, 2005)
* En caso de hipertrigliceridemia y/o sobrepeso, deberá limitarse el consumo de alimentos energéticos, la cantidad diaria de aceite, conservas en aceite, en general, azúcares, frutas desecadas, salsas, refrescos y zumos azucarados, bollería y repostería, aunque sea casera.

Alimentos y colesterol

18. ¿Hay alimentos que bajen el colesterol?

La clave dietética para controlar el colesterol es adoptar una alimentación equilibrada, en la que podamos tomar cualquier producto pero en su justa proporción respecto a los demás. Si el colesterol que contienen ciertos alimentos, las grasas saturadas y las grasas trans suele subir el colesterol, hay otros alimentos que facilitan que el colesterol baje.

Lo que más va a bajar nuestro colesterol será una dieta en la que hayamos sustituido los nutrientes antes mencionados por otras fuentes de energía. Hay muchas leyendas sobre productos milagrosos que parecen bajar el colesterol, como tomar zumo de limón recién exprimido por la mañana o infusiones de alcachofa. Obviamente, si tomamos estos productos en lugar de un cruasán, bollería en general, o unas tostadas con mantequilla, seguro que nuestro colesterol bajará, no por lo que tomamos, sino por lo que dejamos de tomar.

Sin embargo, sí que podríamos hacer un listado de nutrientes que pueden ayudar a bajar el colesterol de forma activa. Los alimentos que contienen ácidos grasos monoinsaturados, como el aceite de oliva, ayudan, no a que el colesterol no suba, sino a que baje y además el aceite de oliva aumenta el colesterol HDL, el bueno. ¡La combinación perfecta, baja el LDL, el malo, y sube el HDL! Esta combinación de efectos sólo la produce el aceite de oliva, el ácido oleico, y por ello es actualmente tan popular y recomendado.

Los polinsaturados omega seis, también ayudan a bajar algo el colesterol, así como los omega tres pero, en general, pueden inducir descensos de HDL. Los frutos secos son cápsulas naturales de ácidos grasos mono y poliinsaturados. Las avellanas y las almendras contienen gran cantidad de ácido oleico, por lo que sus efectos son idénticos a los del aceite de oliva y nos ayudarán a bajar el colesterol. Por otra parte, las nueces son ricas en omega tres y reducen más el colesterol, pero pueden bajar algo las HDL. En ambos casos, se ha demostrado científicamente que el consumo diario de frutos secos no sólo reduce el colesterol malo, e incluso sube el bueno, sino que aquellos grupos sociales que ingieren de forma habitual frutos secos tienen menos enfermedades cardiovasculares, menos infartos.

Así pues, una dieta baja en colesterol, en ácidos grasos saturados ó tipo trans, y rica en mono y poliinsaturados será la mejor combinación para bajar nuestro colesterol.

Alimentos y colesterol

Para completar la información relativa a éste tema le recomendamos lea las respuestas a las preguntas 4, 17 y 19

19. ¿Qué hay de cierto sobre los nuevos alimentos que, nos dicen, bajan el colesterol?

Aunque en breve ｐｌazo va a cambiar, la normativa sobre la publicidad de ｌos alimentos es aún muy laxa. Ello permite que ciertos alimentos anuncien sus cualidades saludables a bombo y platillo, incluso cuando las evidencias existentes son más bien escasas. Hay muchos productos que claman su capacidad de bajar el colesterol y conviene saber en que casos la afirmación se basa en comprobaciones científicas y en cuales no.

Los alimentos que, además de su efecto principal que es nutrir, ejercen funciones beneficiosas sobre la salud se denominan alimentos funcionales. En el caso del colesterol podemos considerar dos grupos, aquellos que sin aditivos especiales, por sus propiedades naturales, podrían actuar descendiendo las concentraciones de colesterol, y aquellos a los que se les han añadido suplementos para que tengan este efecto.

Los primeros entrarían en el diseño de una dieta equilibrada, como por ejemplo el aceite de oliva. Los segundos, en general, deberían tomarse como suplementos adicionales. Y a ellos nos vamos a referir a continuación. Los únicos suplementos nutricionales de los que existen evidencias científicas de que pueden reducir las concentraciones de colesterol son los fitosteroles y la fibra dietética. Hay otras sustancias que pueden tener efectos beneficiosos sobre el colesterol, como los antioxidantes del tipo de los flavonoides o incluso la propia vitamina E, que no disminuyen el colesterol, pero quizá evitan su deterioro, su oxidación, y lo hacen menos peligroso.

¿Qué son los fitosteroles? Los fitosteroles serían las moléculas equivalentes al colesterol en el reino vegetal. Tienen la virtud de llegar a nuestro intestino al igual que el colesterol pero no se absorben. Son eliminados por las heces. Pero con la ventaja de que compiten con el colesterol por los mecanismos de absorción.

El colesterol llega al intestino transportado por unas estructuras denominadas micelas. Es como si se montara en un autobús para llegar al lugar en el que el que será absorbido y penetrará al interior del organismo. Los puntos de absorción situados en el epitelio intestinal son una especie de canales que permiten sólo la entrada de colesterol.

Los fitosteroles, que se parecen mucho al colesterol, lo suplantan tanto en la estructura de transporte, los autobuses especiales, con lo cual el colesterol no tiene medio para alcanzar su destino, como ante los canales de absorción, bloqueando la entrada de colesterol, a pesar de que ellos no podrán entrar o serán expulsados inmediatamente. El resultado es que si hay muchos fitosteroles en la dieta se bloquea la absorción de colesterol. Estos hechos están perfectamente demostrados científicamente.

Hay diversos alimentos que se han enriquecido con fitosteroles: yogures, leches, margarinas, e incluso zumos y otros. Estos alimentos permiten incrementar la ingesta normal de fitosteroles, desde 300 miligramos al día a más de un gramo y medio. Se ha demostrado que tomar diariamente una cantidad entre gramo y medio y tres gramos de fitosteroles disminuye el colesterol LDL, el malo, un diez por ciento. Por todo ello, es recomendable que las personas con moderadas elevaciones de colesterol tomen suplementos alimentarios enriquecidos con fitosteroles.

La fibra es la parte de los alimentos vegetales que no es digerible por las enzimas intestinales, y por ello no se absorbe, aunque puede ser fermentada por las bacterias del colon lo cual es muy importante de cara a sus efectos.

Hay varios tipos de fibra y no todas actúan igual. En general la que reduce el colesterol es la soluble en agua. Hay trabajos científicos que demuestran que tomar entre 5 y 10 gramos diarios de fibra reduce un cinco por ciento el colesterol LDL y a las personas con colesterol se les recomienda tomar unos veinte gramos diarios. Por ello, los alimentos enriquecidos con fibra facilitan llegar a estas cantidades y son una forma más natural de bajar el colesterol. Está científicamente refrendado que el consumo de alimentos funcionales con suplementos, tanto de fitosteroles como de fibra, ayuda a disminuir moderadamente el nivel de colesterol.

Los omega-3 son ácidos grasos de origen vegetal o de pescado. Sabemos que tienen propiedades metabólicas beneficiosas y que, por tanto, deberíamos incorporarlos a una dieta equilibrada. El pescado azul y las nueces son una excelente fuente de los mismos. Los omega-3 tiene cierta capacidad para bajar el colesterol pero actúan más sobre los triglicéridos. Además, se necesitan más de tres gramos diarios para que su efecto metabólico sea apreciable, por lo que o bien se suministran mediante dietas bien planificadas o mediante cápsulas. Los alimentos enriquecidos en omega-3, como leche ó margarina, suelen contener concentraciones insuficientes, aunque pueden complementar otras fuentes.

El resto de alimentos o suplementos dietéticos que claman su capacidad para bajar el colesterol lo hacen sobre bases científicas poco sólidas ó inexistentes.

Para completar la información relativa a éste tema le recomendamos lea las respuestas a las preguntas 3 y 18

20. ¿Es cierto que tomar vino protege del colesterol?

El vino no baja el colesterol pero sí puede presentar ciertos efectos beneficiosos sobre el metabolismo y para la salud en general, aunque también puede causar enfermedades de diversa índole.

Los estudios epidemiológicos demuestran que el consumo de alcohol en general se relaciona con el número de muertes en una población siguiendo una curva en forma de J. Esto significa que a medida que aumenta el consumo de alcohol hay menos infartos y la mortalidad es menor. Pero esto se produce en los consumos bajos de alcohol. Según estos datos, es mejor tomar un poquito de vino que no tomar nada.

Cuando se alcanza un cierto nivel de consumo, los incrementos, a partir de este umbral, aumentan todo tipo de enfermedades y la mortalidad global. Por ello, en todo caso y siempre refiriéndonos al alcohol en general, parecería saludable consumir una cierta cantidad pero sin sobrepasarla, porque entonces las cosas irán peor. Este límite se sitúa en 20 gramos al día para las mujeres y 30 para los hombres.

Teniendo en cuenta que la graduación de una bebida es su porcentaje de alcohol, treinta gramos equivalen a un cuarto de litro de un vino de 12 grados aproximada-

Figura 15. La ingesta diaria moderada de vino tinto se ha demostrado beneficiosa para la salud en general.

mente. Es decir, que podríamos tomar un par de vasitos al día, algo menos las mujeres. Tomar un vaso de vino al día no es perjudicial e incluso puede ser bueno.

Otros datos de interés son los que muestran que en países en los que se consume vino de forma tradicional, Francia, España, Italia, el número de infartos es inferior al que se esperaría según las cifras de colesterol de sus habitantes, y ello ha llevado a pensar que el vino tiene efectos beneficiosos independientes del alcohol. Muchas investigaciones han demostrado que el contenido en taninos y otras sustancias, con acción antioxidante, pudiera ejercer un efecto protector del corazón, aparte de su efecto sobre el colesterol. Se ha observado que el vino no baja el colesterol malo, LDL, pero sí que sube el colesterol bueno, el HDL y éste puede ser otro mecanismo que explique su acción beneficiosa, aunque siempre dentro de los límites de moderación establecidos.

El vino, y en concreto el alcohol que contiene, nos aporta calorías sin interés metabólico que no se utilizan para nada. Son calorías vacías, y éste es otro de los aspectos a tener en cuenta para moderar su consumo. Una ingesta excesiva de vino nos lleva a una dieta hipercalórica. Un gramo de alcohol da más calorías que un gramo de azúcar, en concreto siete, es decir, que si tomamos un cuarto de litro de vino al día, unos treinta gramos de alcohol, incorporamos doscientas diez calorías adicionales.

Otra consecuencia indeseable de este consumo excesivo de calorías es que, dado que no van a ser utilizadas, se almacenarán y ¿cómo?, en forma de triglicéridos. El alcohol es la primera causa de aumento de triglicéridos. Las personas con triglicéridos elevados deben evitar tomar cualquier tipo de bebida que contenga alcohol, tanto vino como cerveza, de la que podríamos decir prácticamente lo mismo que para el vino, o los destilados.

Como reflexión adicional, cabe recordar que el exceso en el consumo de alcohol acarrea múltiples problemas tanto en la salud individual como colectiva y so-

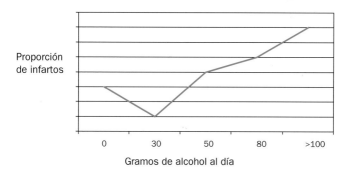

Figura 16. *Enfermedad cardiovascular y consumo de alcohol. Curva en J.*

cial. El alcohol, también el del vino y la cerveza, puede crear adicción, puede provocar enfermedades graves en el hígado y destruir una vida. La moderación más estricta es fundamental para gozar de los placeres del vino y de sus acciones saludables.

Para completar la información relativa a éste tema le recomendamos lea las respuestas a las preguntas 17 y 18

21. ¿Es cierto que los frutos secos son buenos para el colesterol?

Sí, los frutos secos pueden integrarse perfectamente a una dieta dirigida a controlar el colesterol. Cuando hablamos de frutos secos nos referimos fundamentalmente a las avellanas, almendras y nueces. Todos ellos tienen un gran contenido en grasa que supera el setenta por ciento de su peso en seco.

En el caso de las avellanas y almendras, más de la mitad de esta grasa son ácidos grasos monoinsaturados, ácido oleico, por lo que pueden considerarse auténticas cápsulas naturales de aceite de oliva. De ahí se derivan todos sus efectos beneficiosos, ayudan a bajar el colesterol malo y a subir el bueno. Las nueces son algo distintas, los ácidos grasos que las componen son de tipo poliinsaturado, tanto omega-6 como omega-3 y, por ello, sus efectos son también beneficiosos sobre el perfil lipídico del plasma. Ayudan a bajar el colesterol de la sangre.

Todos estos datos están perfectamente estudiados en múltiples trabajos de investigación que siguen los métodos científicos más acreditados y, por tanto, no cabe la menor duda sobre sus efectos beneficiosos.

Pero hay más. Se ha demostrado que el consumo diario de frutos secos, se asocia a un menor número de infartos. Estos datos se derivan de un par de estudios epidemiológicos. Uno de ellos, en la comunidad de Adventistas del Séptimo Día, en Estados Unidos. Este colectivo suele seguir una dieta vegetariana por convencimiento religioso. Aquellas personas que tomaban más frutos secos a lo largo de la semana tenían la mitad de infartos que los que no tomaban.

Otro estudio que demuestra lo mismo es el realizado entre enfermeras de Estados Unidos. Aquellas que consumen frutos secos tienen menor incidencia de enfermedades cardiovasculares.

Al igual que todos los alimentos, los frutos secos deben integrarse en el diseño de una dieta equilibrada. Hay que pensar que si comemos frutos secos incorporamos grasa a nuestra alimentación, y aunque se ha observado que la saciedad que producen los frutos secos hace que después comamos menos cantidad de otras cosas, es conveniente tener en cuenta esta parte de grasa adicional.

Podemos afirmar que existen pocos alimentos de los que dispongamos de más evidencias científicas respecto a su papel beneficioso para el colesterol y las enfermedades cardiovasculares en general y la salud en particular que los frutos secos.

Para completar la información relativa a éste tema le recomendamos lea las respuestas a las preguntas 17 y 18

22. ¿Baja el colesterol la lecitina de soja?

La lecitina es un fosfolípido que contiene una sustancia que se denomina fosfatidilcolina, con importantes acciones biológicas. Los fosfolípidos son estructuras que contienen fósforo y dos moléculas de ácidos grasos. Por ello la lecitina es, en el fondo, una fuente de ácidos grasos. Si éstos son insaturados tendrán los efectos de los mismos sobre el colesterol.

Si la colina, o fosfatidilcolina, de su molécula tiene efectos adicionales sobre el colesterol, es un hecho poco contrastado científicamente y con resultados contradictorios.

Si bien la fuente tradicional de lecitina han sido los huevos, en la actualidad existen muchos preparados que la obtienen de la soja. La soja, *per se*, tiene ya efectos beneficiosos sobre el colesterol, que no se deben a la lecitina sino a sus proteínas de gran calidad y de origen vegetal.

Si sustituimos parte de nuestro aporte proteico, integrado habitualmente a partir de carnes, por la proteína de soja, nuestro colesterol bajará y disminuirán las enfermedades cardiovasculares. Hay más datos sobre el efecto beneficioso de las proteínas de soja sobre el colesterol y el infarto que de la propia lecitina. Por ello, no podemos ser contundentes recomendando la lecitina de soja como producto que ayude a descender el colesterol. Existen muchos estudios científicos sobre el efecto de la lecitina de soja y el colesterol y aunque en algunos se sugiere un efecto positivo las conclusiones globales del análisis de todos ellos son poco contundentes al respecto.

Para completar la información relativa a éste tema le recomendamos lea las respuestas a las preguntas 17 y 18

23. ¿Es cierto que el aceite de oliva es bueno para el colesterol?

El aceite de oliva es la fuente principal de ácido oleico, un ácido graso de tipo monoinsaturado. Durante décadas su uso ha sido denostado por considerarse que era un alimento hipercalórico y, por tanto, parecía mejor utilizar aceites más ligeros del tipo girasol, maíz o soja. Estos últimos aceites son ricos en ácidos grasos de tipo poliinsaturado, ácido linoleico, denominado así por que inicialmente se obtuvo de la semilla de lino.

El primer gran error es considerar que hay unos aceites más ligeros, desde el punto de vista calórico, que otros. Los aceites son grasa pura, casi en el cien por cien de su composición. Por tanto, un gramo de aceite, de grasa, aporta nueve calorías, sea del tipo que sea, oleico o linoleico, oliva o girasol. Aclarado este punto, debemos comentar que hay múltiples estudios que nos indican los efectos de los ácidos grasos sobre las diversas grasas de nuestra sangre.

El ácido graso predominante de los aceites de semillas, el linoleico, es un omega-6 y sabemos que estas grasas ayudan a disminuir el colesterol LDL, pero también pueden provocar un descenso del colesterol bueno, HDL, lo cual es relativamente contraproducente. En cambio el ácido oleico, aceite de oliva, baja el malo y no el bueno al que incluso puede incrementar. Por tanto, el aceite de oliva es el alimento con un mejor perfil de acción sobre el metabolismo lipídico.

Pero hay más. Las poblaciones que consumen de forma habitual aceite de oliva, como son las del área mediterránea, son las que tienen menos infartos del mundo. Este fenómeno se ha asociado al contenido en ácido oleico del aceite de oliva, factor central de la dieta mediterránea, pero más recientemente se están estudiando los posibles efectos beneficiosos adicionales de otros componentes del mismo. En concreto, sustancias químicas como los polifenoles, que forman parte de las moléculas que dan palatabilidad al aceite, tienen un claro efecto antioxidante y esto podría contribuir a su acción beneficiosa sobre la salud.

El mecanismo de acción a través del cual el ácido oleico ejerce su acción beneficiosa no se conoce con exactitud. Probablemente, interfiere con el metabolismo de los lípidos en distintas zonas. Disminuye la absorción de colesterol, enlentece la formación de las partículas grasas que pasan a la sangre después de las comidas y activa los mecanismos metabólicos que facilitan la reducción del colesterol. Pero hay más. El ácido oleico, probablemente protege nuestro corazón por muchas otras vías, actuando sobre la lesión arterial. Es una especie de ungüento que calma la herida de la pared del vaso. Sabemos que disminuye la inflamación, también la formación de la cicatriz y es antioxidante. El aceite de oliva que en la antigua

Grecia se consideraba un don de los dioses probablemente lo sea.

Es muy claro que aquellos pueblos que utilizan el aceite de oliva como grasa fundamental para cocinar, en lugar de manteca, tienen menos riesgo de sufrir las enfermedades relacionadas con el colesterol, como el infarto o la trombosis cerebral.

Figura 17. Una grasa saludable: el aceite de oliva virgen extra.

Debemos tener en cuenta que los estudios científicos sobre el aceite de oliva se han realizado con aceite de oliva virgen, es decir no manipulado ni refinado. Esto puede llevar a confusión porque en los comercios se aplica el nombre de aceite de oliva a secas a preparados refinados o mezcla de virgen y refinado. Aunque no podemos excluir que estos últimos retengan las propiedades beneficiosas del aceite de oliva virgen, no tenemos datos que lo confirmen con la contundencia necesaria. Utilicemos aceite de oliva virgen para todo, aliñar o cocinar, ya que es la fuente de grasa con mayores efectos cardiosaludables que se conoce.

Para completar la información relativa a éste tema le recomendamos lea las respuestas a las preguntas 17 y 18

24. ¿Cómo puedo subir el colesterol bueno?

Desde el punto de vista de la prevención cardiovascular, lo más importante es que el colesterol malo, el LDL, esté normal o bajo. Este es el objetivo principal. Sin embargo, hay personas en las que este colesterol está bajo, pero también lo está el colesterol bueno, el HDL. El HDL es el colesterol que está saliendo de las arterias para ser eliminado. Un HDL alto nos indica que hay una buena actividad de limpieza y, al contrario, un HDL bajo implica que las arterias están reteniendo colesterol LDL en exceso.

Se recomienda que los hombres tengan un HDL superior a 40 miligramos por decilitro y las mujeres superior a 50, dado que sus cifras son siempre más altas. Existen múltiples estudios que indican que tener un colesterol HDL bajo se asocia a un mayor riesgo de desarrollar un infarto, pero no hay evidencias claras de que si subimos el colesterol HDL disminuya el riesgo, aunque esto quizá sea debido a que no se dispone en la actualidad de medicinas lo suficientemente potentes para incrementarlo.

En realidad, solamente un estudio realizado en la asociación de jubilados de Estados Unidos, mostró que aquellas personas que habían tenido un infarto y a las que con un medicamento se les subía el HDL un seis por ciento tenían menos reinfartos. Se evitaba uno de cada cinco infartos que tenían los que no recibieron el tratamiento.

Es cierto que si nuestro colesterol HDL es superior a 60 miligramos por decilitro, nuestro riesgo de infarto baja. ¿Cuándo debemos preocuparnos por nuestro colesterol bueno? En principio, cuando persista un HDL inferior a 40 ó 50 en hombres ó mujeres respectivamente.

¿Qué podemos hacer para subirlo? El HDL responde a las medidas de cambio en el estilo de vida. La práctica habitual de ejercicio físico aumenta el colesterol bueno. Caminar, correr, nadar o ir en bicicleta al menos tres días a la semana, o de forma ideal cada día, nos subirá el colesterol HDL. El enemigo público número uno del HDL es el tabaco. Fumar baja el HDL, por tanto, una forma de subirlo es dejar el tabaco. Los obesos tienen el HDL bajo, entre otras cosas porque en la obesidad se producen muchos triglicéridos y éstos se asocian a un descenso de HDL. Triglicéridos altos, HDL bajo y viceversa. Por ello, al adelgazar se va a conseguir a la larga un aumento de HDL. La diabetes produce un descenso de HDL, especialmente cuando no está bien controlada y produce acumulación de triglicéridos. Un buen control de la diabetes facilitará que las concentraciones normales de HDL se recuperen.

¿Qué elementos de la dieta ayudan a subir el colesterol HDL? Aquí tenemos buenas noticias. Uno de los componentes de la dieta que suben el HDL es el alcohol. Los consumidores habituales de alcohol tienen el HDL más alto. De hecho, uno de los mecanismos para explicar el efecto protector del consumo moderado de alcohol sobre las enfermedades cardiovasculares es su acción sobre el HDL. Si bien no creemos que deba recomendarse el alcohol para esta alteración, quizá no sea necesario retirarlo en personas que tomen cantidades adecuadas y tengan el HDL bajo.

Un dato paradójico es que el mayor contenido en grasa se asocia a una mayor cantidad de HDL. Curiosamente, recomendamos dietas pobres en grasa para la prevención cardiovascular y esto puede hacer descender el HDL. Además, la grasa que más sube el HDL es la saturada, después la monoinsaturada y, finalmente las poliinsaturadas reducen el colesterol HDL. La explicación a este hecho es confusa, pero podemos aceptar que al poner más grasa en el sistema también las lipoproteínas que tienen como función eliminarla han de aumentar y por ello sube el HDL. Hay más suciedad y se necesita más limpiador.

En resumen, aparte de los medicamentos que suben el colesterol HDL, por cierto de forma moderada, y que se denominan fibratos, las únicas vías para subir el colesterol bueno son hacer ejercicio físico de forma regular, dejar de fumar, perder peso, quizá tomar un vaso de vino al día, y controlar el azúcar si somos diabéticos.

Para completar la información relativa a éste tema le recomendamos lea las respuestas a las preguntas 2, 17 y 18

Puntos clave:

- No hay ningún alimento prohibido a causa del colesterol.
- Debemos seguir una dieta equilibrada en la que cada componente tenga su justa proporción.
- Los alimentos ricos en colesterol y grasas saturadas deben consumirse con moderación.
- Los fitosteroles y la fibra añadidos a ciertos alimentos ayudan a regular las cifras de colesterol.
- El consumo diario de frutas y verduras reduce el colesterol y el riesgo de infarto.
- Beber menos de un cuarto de litro de vino al día puede reducir el riesgo de infarto; una cantidad superior aumenta el riesgo.
- Los frutos secos aportan grasas vegetales de excelente calidad.
- El aceite de oliva es la mejor grasa alimentaria.

4. Otras grasas: los triglicéridos

25. ¿Qué son los triglicéridos?

Al igual que el colesterol, los triglicéridos son un tipo de grasa muy necesaria para nuestro cuerpo. De hecho, los triglicéridos son lo que habitualmente identificamos como grasa en un alimento. Las vetas del jamón, las partes blancas de un filete, la grasa bajo la piel de los animales, todo son triglicéridos. Y es que los triglicéridos no son más que la estructura química que utiliza nuestro organismo para almacenar los ácidos grasos que son las verdaderas moléculas con capacidad biológica.

Cada molécula de triglicérido contiene tres ácidos grasos unidos a otra molécula de glicerol. Por ello, cuando hablamos de efectos de los ácidos grasos hemos de atribuirlos a los triglicéridos y viceversa. ¿Y cuáles son estos efectos? Pues muy fácil, energía. Nuestro organismo almacena energía en forma de triglicéridos, al igual que lo hacen los animales. El oso pardo, por ejemplo, come durante el verano llegando a duplicar el peso de su corpulento cuerpo, para después poder hibernar sin problemas. Durante estos meses su energía la obtiene de las reservas acumuladas en forma de triglicéridos. Sin llegar a estos extremos, los humanos también precisamos reservar energía y ésta es la función de los triglicéridos.

Pensemos que los triglicéridos al ser grasa producen nueve calorías por gramo, o lo que es lo mismo, más de dos veces la energía que produce un gramo de azúcar. Para mantener la misma reserva energética, si sólo dispusiéramos de glucosa, precisaríamos el doble que usando grasa. Nuestro peso sería muy superior.

Si la grasa supone un veinte por ciento de nuestra composición corporal, su sustitución por glucosa implicaría que nuestro cuerpo pesara un veinte por ciento más, y esto sin tener en cuenta que el glucógeno, forma de almacenaje de glucosa, requiere estar hidratado, con lo cual su peso se multiplicaría por dos.

Dicho lo importante de tener triglicéridos pasemos a la parte negativa. ¿Qué nos ha querido decir el doctor cuando nos ha comentado que en nuestros análisis aparece un aumento de triglicéridos? Los triglicéridos deben estar en su sitio, en el tejido graso y una pequeña cantidad circulando por la sangre, yendo y viniendo de un lugar a otro.

El problema ocurre cuando la cantidad de triglicéridos en sangre es excesivamente alta. Si nos hacemos un análisis en ayunas, la cantidad de triglicéridos en sangre debería ser inferior a ciento cincuenta miligramos por decilitro. Después de comer, suben un poco para volver a la normalidad en pocas horas. En ciertas personas, los mecanismos metabólicos de control de los triglicéridos no funcionan correctamente y las cifras en ayunas suben hasta valores exorbitantes, más de mil o dos mil. En otros casos, las concentraciones de base son moderadamente altas pero después de las comidas se disparan. Esto es especialmente cierto cuando se toman bebidas alcohólicas. El alcohol es la primera causa de triglicéridos elevados. Si tenemos triglicéridos altos es mejor abstenernos totalmente del alcohol.

Triglicéridos	
Normal	<150
Limítrofe alto	150-199
Alto	200-499
Muy alto	>500

Tabla 6. Concentraciones de triglicéridos en plasma (miligramos por decilitro).

Para completar la información relativa a éste tema le recomendamos lea las respuestas a las preguntas 5, 26 y 27

26. ¿Por qué aumentan los triglicéridos?

Teniendo en cuanta que los triglicéridos son nuestra reserva de energía, todos aquellos procesos en los que haya un exceso de energía, o bien una alteración en el uso de los circuitos energéticos, provocarán una acumulación de triglicéridos en sangre.

Cuando comemos en cantidades superiores a las necesarias, las comidas con mucho contenido en grasa, producirán un aumento de triglicéridos. La ingesta de alcohol, que es una fuente de energía superflua e inútil, incrementará nuestros triglicéridos. El sobrepeso y la obesidad, donde hay un excesivo depósito de grasa, producen triglicéridos. La diabetes, donde la regulación del uso de energía está descompensada, puede facilitar el aumento de triglicéridos en sangre. Ciertos medicamentos, enfermedades endocrinológicas, renales, hepáticas y muchas otras circunstancias pueden provocar aumentos de triglicéridos.

Patrón femenino de obesidad: Afecta principalmente hombros y nalgas, más común en las mujeres.

Patrón masculino de obesidad: Afecta a la zona del estómago y perímetro de la cintura, más común en los hombres.

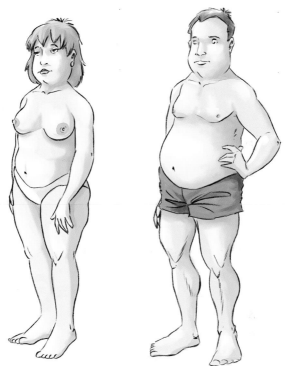

Figura 18. *El factor «obesidad» en los hombres influye en el riesgo de sufrir una enfermedad coronaria más que en las mujeres.*

Pero también hay que tener en cuenta las anomalías metabólicas propias del individuo. Necesitamos los triglicéridos y por ello los comemos, pasan a la sangre, los metabolizamos, quemamos, y los eliminamos. Todos estos pasos están regulados genética-

Otras grasas: los triglicéridos

mente y como tales son susceptibles de alteraciones. Hay personas que heredan una mecánica metabólica deficiente y por mucho que eviten las circunstancias asociadas, no conseguirán tener las grasas en las proporciones correctas. Son formas genéticas que, en algún caso, pueden seguir el patrón de enfermedades hereditarias.

En muchos casos, lo que ocurre es una mezcla de predisposición genética y factores ambientales asociados. Es el caso de la persona que toda la vida ha tenido unos triglicéridos un poco altos, entre doscientos y cuatrocientos por ejemplo, pero a partir de un cierto momento, estas concentraciones van aumentando. Esto suele coincidir con un aumento de peso, con un cambio de dieta, con una disminución en la práctica de ejercicio físico o con el desarrollo de una diabetes. La maquinaria, ya deficiente, se enfrenta a un mayor trabajo y los triglicéridos pueden subir a cifras extremas. El control de los factores exógenos permitirá una cierta mejoría pero será difícil llegar a la normalidad, ya que existe una alteración del metabolismo del propio individuo.

Para completar la información relativa a éste tema le recomendamos lea las respuestas a las preguntas 11, 25 y 27

27. ¿Qué me puede ocurrir si tengo triglicéridos?

El aumento de triglicéridos en sangre puede provocar dos tipos de complicaciones, las cardiovasculares y pancreatitis. Respecto a la primera, diremos que existen estudios epidemiológicos que muestran que las personas con aumento de triglicéridos tienen un mayor riesgo de padecer angina de pecho o infarto de miocardio, es decir, algo parecido a lo que hemos estado comentando para el colesterol. Más triglicéridos, más posibilidades de infarto.

Pero, así como el colesterol tiene una relación muy potente con el riesgo de padecer un infarto, en el caso de los triglicéridos es inferior y parece que pudiera ser indirecta, es decir, que lo que realmente provoca infartos en las personas con triglicéridos son otras circunstancias asociadas, por ejemplo, una bajada del colesterol bueno.

Sabemos que cuando una persona tiene triglicéridos le baja el colesterol HDL. Los mecanismos metabólicos que lo explican son complejos, pero están bien establecidos. Entonces, quizás los que tienen triglicéridos están más expuestos al infarto porque tiene menos moléculas HDL que limpian la pared arterial. Es una teoría.

Otras grasas: los triglicéridos

113

También sabemos que los obesos y los diabéticos con una mayor predisposición al infarto, tienen más triglicéridos. ¿Será esta la causa? Estos pacientes suelen estar afectados al mismo tiempo por otras anomalías como la presión alta, o el propio azúcar, que pueden atacar el corazón y, por ello, el efecto directo de los triglicéridos sobre el riesgo vascular queda enmascarado en estos casos.

Además, no hay ningún estudio que se haya centrado en observar que ocurre con el riesgo cardiovascular, si bajamos los triglicéridos. En resumen, si tenemos triglicéridos debemos preocuparnos porque nuestro riesgo de infarto es más alto, pero quizá la solución no estará sólo en tomar medicinas que los bajen sino que probablemente, debemos controlar mejor nuestro peso, nuestra diabetes, nuestra presión, nuestro colesterol bueno y malo y otras circunstancias asociadas.

Un estudio realizado en la ciudad de Münster en Alemania, en el que se analizaron los factores que definían el riesgo cardiovascular, se demostró que si el colesterol era normal o bajo, el efecto de los triglicéridos sobre el riesgo de infarto era escaso, pero que en personas que tenían colesterol alto, unos triglicéridos también altos aumentaban sus efectos, los multiplicaban. Por ello, si tenemos los triglicéridos elevados, tendremos que procurar que nuestro colesterol esté normal o bajo.

Elevaciones importantes de triglicéridos pueden provocar otra enfermedad tan grave o más que un infarto, la pancreatitis. El páncreas es una glándula que está situada en el abdomen detrás del estomago. Tiene dos funciones principales: producir sustancias necesarias para la digestión, por ello está conectada con el tubo digestivo por un conducto, y producir la insulina necesaria para el correcto metabolismo de la glucosa.

La pancreatitis es una inflamación del páncreas que puede producir una lesión irreversible y secuelas de tipo digestivo o diabetes. Pero en el fondo esto es un mal menor, dado que hay pancreatitis agudas que pueden resultar mortales. Las causas más frecuentes de pancreatitis son las piedras en la vesícula biliar y el consumo de alcohol y comida en exceso.

Las elevaciones de triglicéridos pueden provocar pancreatitis, aunque se requieren cifras muy altas, al menos por encima de mil, pero en general superiores a dos mil miligramos por decilitro de sangre. Esto es más de diez veces sus concentraciones normales, lo cual es poco frecuente. Sin embargo, personas que en ayunas tienen los triglicéridos moderadamente altos pueden alcanzar estos valores tan elevados después de una comida copiosa y muy grasa o, lo que es más frecuente, tras haber bebido alcohol.

Muchos de los casos de pancreatitis por triglicéridos son debidos a trastornos genéticos sufridos por personas que nacen con una alteración en su metabolismo y no los queman correctamente. En estos casos, alcanzan con facilidad cifras superiores a mil miligramos por decilitro de sangre y se puede desarrollar pancreatitis. El gran problema es que no tenemos buenos medicamentos para evitar esta situación metabólica. Sólo dietas muy restrictivas en las que el contenido diario en grasa sea muy bajo (menos de 20 ó 30 gramos de grasa total al día), o sustituir las grasas habituales por otras que no se acumulen en la sangre son algunas de las difíciles soluciones que tienen estos pacientes.

Para completar la información relativa a éste tema le recomendamos lea las respuestas a las preguntas 10, 15 y 25

28. ¿Se puede tener colesterol y triglicéridos a la vez?

No sólo se puede tener colesterol y triglicéridos a la vez, sino que es muy frecuente que así sea. Además, no se trata de una simple coincidencia, lo cual no sería de extrañar dado que más de la mitad de la gente tiene un colesterol por encima de los valores óptimos y cerca de un 15 por ciento tiene triglicéridos.

El colesterol y los triglicéridos tienen muchas relaciones metabólicas. Viajan juntos por la sangre en las mismas partículas, las lipoproteínas. Por ello, cuando éstas se acumulan es frecuente observar aumentos de ambas grasas. Por otra parte, los mecanismos que hacen subir el colesterol, son prácticamente los mismos que hacen subir los triglicéridos, es decir, alimentación, sedentarismo, obesidad, etcétera.

Finalmente, hay enfermedades del metabolismo de las grasas que hacen que suban tanto el colesterol como los triglicéridos. La más frecuente de ellas es la denominada hiperlipemia familiar combinada. Esta alteración hereditaria afecta a un cinco por ciento de la población y si la buscáramos entre los que han tenido un infarto la encontraríamos en uno de cada cinco individuos. Las personas que tienen este problema presentan colesterol y triglicéridos altos ó bien uno u otro de forma aislada y, de hecho, van cambiando, ahora colesterol, ahora triglicéridos, ahora ambos. Y esto es lo que encontramos entre los miembros de la familia, unos tienen colesterol y otros triglicéridos o los dos. El problema es que esta situación hace que las personas afectadas tengan un riesgo de infarto muy alto. De hecho, los triglicéridos aumentan el riesgo que produce el colesterol. Deberemos intentar compensar el metabolismo de ambas grasas.

Para completar la información relativa a éste tema le recomendamos lea las respuestas a las preguntas 11, 25 y 26

Puntos clave:
- Los triglicéridos son las grasas que constituyen nuestra reserva de energía
- Concentraciones altas en sangre potencian el riesgo de infarto de miocardio
- Pueden producir pancreatitis
- Los triglicéridos constituyen nuestro panículo adiposo
- Los triglicéridos altos se asocian a colesterol «bueno» HDL bajo

5. Los medicamentos para el colesterol

29. ¿Cuándo está indicado tomar medicamentos para bajar el colesterol?

Cuando a una persona se le detectan unas cifras de colesterol elevadas debe hacerse las siguientes preguntas ¿Qué riesgo tengo de tener un infarto con este colesterol? y ¿Por qué tengo el colesterol alto? La respuesta a estas preguntas nos conducirá a la respuesta sobre el momento de iniciar tratamiento farmacológico.

Dejemos por sentado que no se debe empezar a tomar pastillas para el colesterol sin que antes hayamos realizado un período de dieta correcto, que puede oscilar entre dos y seis meses. Si después de la dieta seguimos con un colesterol alto, la decisión de tomar medicamentos dependerá del riesgo que éste suponga para nuestra salud. Una mujer de veinte años perfectamente sana con un colesterol alto, no tiene ningún riesgo de infarto en los próximos años y, por tanto, puede ahorrase el tratamiento, mientras que un hombre de cincuenta años, diabético y que ya ha sufrido un infarto deberá iniciar tratamiento de forma inmediata. También, si la causa del colesterol es genética, una forma familiar, el inicio del tratamiento será más precoz.

En principio, deberán tomar medicamentos para bajar el colesterol:

1. Todas las personas que hayan tenido un infarto o una angina de pecho. Se ha demostrado que en estos casos el colesterol ha de estar no sólo normal sino incluso bajo. El LDL debe ser inferior a cien ó incluso a setenta. También se consideran dentro de este grupo aquellos que han tenido un accidente vascular cerebral o presentan problemas de circulación arterial en las piernas. Es decir, el tratamiento con medicamentos está indicado para aquellas personas que tienen manifestaciones clínicas de arteriosclerosis

2. Los pacientes diabéticos. La diabetes aumenta el riesgo de infarto y una forma de evitarlo es bajando el colesterol al máximo, incluso hasta cifras parecidas a las que hemos comentado en el punto anterior. Si es usted diabético y no toma medicamentos para el colesterol debe preguntarse porque no lo hace. En ocasiones, el colesterol es tan bajo de forma natural que no hace falta, pero si no es así mejor medicarnos.

Situación clínica	Colesterol LDL Recomendado (miligramos/decilitro) < = menos de
He tenido un infarto	< 100 (mejor si < 70)
He tenido una trombosis cerebral	< 100
He tenido problemas de circulación arterial en las piernas	<100
Soy diabético	< 100
Soy diabético y he tenido un infarto	<100 (mejor si < 70)
Cumplo dos de las siguientes circunstancias: Tengo la presión alta Mi padre tuvo un infarto antes de los 55 años. Mi colesterol bueno es bajo Fumo Soy una mujer menopáusica (o un hombre de más de 45 años)	< 130
Cumplo como máximo una de las circunstancias del apartado anterior	< 160
Tengo una forma hereditaria de colesterol, pero no tengo ninguna de las circunstancias anteriores	< 130
Soy un hombre o una mujer joven (< 30 años) sin ninguno de los factores mencionados arriba	< 190

Tabla 7. *Los medicamentos para bajar el colesterol pueden estar indicados cuando se tiene el colesterol más alto que el recomendado en la tabla.*

3. Las personas con alto riesgo de tener un infarto. Si es usted fumador, tiene la presión alta, o antecedentes de infartos en la familia en edad joven, si es un hombre de más de cuarenta y cinco años o una mujer menopáusica, su colesterol malo debería estar por debajo de 130 miligramos por decilitro. Si no es así, probablemente estaría indicado que lleve tratamiento con medicamentos, especialmente si reúne dos ó más de las características anteriormente mencionadas.

Para completar la información relativa a éste tema le recomendamos lea las respuestas a las preguntas 7 y 8

30. ¿Qué medicamentos hacen bajar el colesterol?

Existen varias familias de medicamentos diseñados para reducir el colesterol de la sangre. Las principales son las estatinas, los inhibidores de la absorción de colesterol, y las resinas, que aumentan su eliminación por las heces.

Las estatinas son los medicamentos más importantes para tratar el colesterol alto. En el mercado español disponemos de Atorvastatina, Fluvastatina, Lovastatina, Pravastatina y Simvastatina. Uno de ellos es el que debe tomar si tiene colesterol y está indicada la terapia con fármacos. Estos medicamentos actúan bloqueando la síntesis de colesterol por parte del hígado, que es la principal fuente de colesterol endógeno.

Hay pocos medicamentos que hayan demostrado su utilidad de forma científica como en el caso de las estatinas. Dependiendo del tipo y la dosis, pueden bajar el colesterol LDL, el malo, entre un 25 y casi un 50 por cien, es decir, podemos bajar el colesterol casi a la mitad con una pastilla al día.

Pero se ha demostrado que estas medicinas no sólo bajan el colesterol sino que de forma real disminuyen los infartos en los pacientes que teniendo colesterol las toman. En personas que ya han tenido un infarto, el riesgo de reinfartarse antes de diez años es muy alto, superior al cuarenta por ciento. En personas que toman estatinas este riesgo se reduce a la mitad. Por ello, si usted ha tenido un infarto y no toma estatinas, consúltelo a su médico, y sólo en caso de que su colesterol LDL fuera muy bajo, menor de 70, podría entenderse que no haga tratamiento con fármacos.

Estos medicamentos son muy seguros, los están tomando millones de personas desde hace más de quince años sin que haya problemas graves. Es cierto que todos los medicamentos pueden provocar efec-

Los medicamentos para el colesterol

tos secundarios, y estos también. En menos de un uno por mil pueden afectar mínimamente el hígado de forma sólo detectable a través de análisis y no se requiere retirar la medicina. En un porcentaje similar se pueden dar molestias musculares y en algún caso dolores reales. Si usted está tomando estos medicamentos y nota molestias musculares, consulte con su médico que le indicará la mejor actuación a seguir.

En los últimos años, ha aparecido un nuevo grupo de medicamentos, los inhibidores de la absorción de colesterol, que actúan evitando que el colesterol pase a la sangre, cierran su puerta de entrada en el intestino. El medicamento del que disponemos es Ezetimiba. La cantidad de colesterol que llega cada día a la sangre deriva por igual de la producción hepática que de la absorción intestinal y estos medicamentos actúan a este último nivel. Bajan el colesterol LDL entre un 20 y 25 por ciento y suelen recomendarse cuando no se alcanzan las cifras ideales con las estatinas. Por tanto, estos medicamentos se administran junto a las estatinas.

Los medicamentos más antiguos de los que disponemos para bajar el colesterol son las resinas. Se presentan en forma de polvo, del que deben tomarse entre ocho y quince gramos, lo cual ya es un poco engorroso, pero tienen la ventaja de que no pasan a la sangre y producen sus efectos en el intestino. Disponemos de Colestiramina y Colestipol. Una parte muy importante del colesterol que alcanza el intestino desde la bilis lo hace de forma modificada, en forma de unos derivados denominados ácidos biliares. La mayor parte de ellos son reabsorbidos y alcanzan de nuevo el hígado. De esta forma el organismo se ahorra el tener que sintetizarlos de nuevo. Las resinas actúan como esponjas cogiendo los ácidos biliares, y arrastrándolos por las heces al exterior del organismo. Como no se reabsorben deberán fabricarse de nuevo. ¿A partir de qué? De colesterol. De esta forma se elimina por las heces mucha más cantidad de colesterol. Actualmente se usan menos, aunque pueden estar indicados en niños con formas hereditarias de hipercolesterolemia, o bien si los fármacos anteriores no han actuado correctamente.

Todos los medicamentos pueden ser perjudiciales si se administran sin estar indicados, pero todos ejercen efectos beneficiosos sobre la salud si se prescriben de forma adecuada.

Para completar la información relativa a éste tema le recomendamos lea las respuestas a las preguntas 8 y 29

Los medicamentos para el colesterol

Grasa alterada	Medicamento indicado
Colesterol LDL alto Resto normal	1. Estatina 2. Estatina + Ezetimiba 3. Resinas (niños)
Triglicéridos altos Resto normal	1. Fibratos 2. Omega-3
Colesterol LDL y triglicéridos altos	1. Estatinas 2. Estatinas y Fibratos
Colesterol HDL bajo y resto normal	1. Fibratos
Colesterol LDL y triglicéridos altos y HDL bajo	1. Estatinas 2. Estatinas y Fibratos
Colesterol LDL alto y HDL bajo	1. Estatinas 2. Estatinas y Fibratos

Tabla 8. ¿Qué tipo de medicamentos debemos tomar para el colesteroll?

31. ¿Cuántos días debo tomar medicamentos para que me baje el colesterol?

Los medicamentos para el colesterol son muy eficaces y en general suelen producir descensos de colesterol en poco tiempo. Aproximadamente en quince días han alcanzado su efecto máximo. ¿Significa esto que el tratamiento ha de durar quince días? La respuesta es no.

Cuando iniciamos una terapia farmacológica para el colesterol debemos asumir que ésta será para toda la vida. ¿Por qué? Cuando decidimos que un paciente requiere medicamentos para bajar su colesterol es porque tiene un proceso metabólico que le mantiene las cifras elevadas a pesar de seguir una dieta y un estilo de vida adecuados. Estas situaciones suelen estar provocadas por alteraciones del metabolismo del individuo y al ser propias del mismo le acompañaran toda la vida. Por ello, el tratamiento para compensar el defecto metabólico deberá también mantenerse de por vida. No se trata de bajar temporalmente el colesterol, sino de mantenerlo siempre bajo.

¿Podré dejar la medicación si realizo mejor la dieta y me adelgazo…? La dieta bien hecha es un requisito anterior a la medicación. Si no ha conseguido mejorar con dieta antes, será difícil que lo haga después. No queremos decir que la dieta no sea necesaria, todo lo contrario. Antes de cualquier medicación debe realizarse tratamiento dietético el tiempo que sea necesario, para estar seguros de que el colesterol que tenemos es debido a trastornos metabólicos y no alimentarios. Seria un error tratar con medicamentos a una persona que puede controlar su colesterol con dieta.

Los
medicamentos
para el colesterol

Para completar la información relativa a éste tema le recomendamos lea las respuestas a las preguntas 8, 29 y 30

32. ¿Son los medicamentos para el colesterol los mismos que para los triglicéridos?

Las estatinas que son los medicamentos clave para el tratamiento del colesterol actúan de forma indirecta sobre los triglicéridos. Por ello, las personas que tienen colesterol con un poco de triglicéridos suelen ser tratadas sólo con estatinas. En general, su efecto para bajar los triglicéridos es proporcional a lo altos que éstos sean.

Sin embargo, ante cifras de triglicéridos muy elevadas no serán éstos los medicamentos elegidos. Cuando una persona tiene su colesterol normal y elevados los triglicéridos, hay otro grupo de medicamentos que puede ayudar a tratar el problema: los fibratos, que por mecanismos moleculares complejos, ayudan a quemar más eficientemente los triglicéridos. Son capaces de reducir los triglicéridos hasta más de un cincuenta por ciento.

Cuando el paciente tiene colesterol y triglicéridos puede ser necesario combinar ambos tipos de medicamentos, ¡pero cuidado! Alguno de estos fármacos puede acentuar los efectos indeseables de las estatinas y provocar alteraciones hepáticas y sobre todo musculares con una mayor frecuencia e intensidad. Su médico le indicará que combinaciones son seguras y cuales no.

Otra posibilidad terapéutica para los aumentos de triglicéridos es la toma de ácidos grasos omega-3 en grandes cantidades, más de tres a cuatro gramos al día. Aunque esto podría conseguirse con dietas muy ricas en pescado azul, la cantidad diaria necesaria lo hace difícilmente viable. Tampoco se consiguen las dosis adecuadas con los alimentos enriquecidos con omega tres. En la actualidad existen cápsulas farmacéuticas que permiten aportar la cantidad necesaria con todas las garantías de un medicamento.

En aquellos casos en que los triglicéridos son muy altos, superiores a mil o dos mil, debido a alteraciones hereditarias en las que fallan elementos básicos de su metabolismo, es muy difícil actuar con medicamentos. Los que hemos mencionado tienen una eficacia limitada y la única herramienta de la disponemos en estos casos severos es la reducción drástica en la dieta de grasa de todo tipo, incluido el aceite de oliva. Si habitualmente comemos alrededor de 60 gramos de grasa al día, a estos pacientes les recomendamos que no ingieran más de veinte o treinta.

¡Todo un sacrificio! Hay que tener en cuenta que la grasa es lo que da mayor sabor a la comida. En estos casos, el aporte graso necesario suele conseguirse mediante aceites que aportan ácidos grasos de cadena media (MCT) que sortean las vías metabólicas maltrechas y no se acumulan en la sangre en forma de triglicéridos.

Para completar la información relativa a éste tema le recomendamos lea las respuestas a las preguntas 26, 27 y 30

6. Colesterol y otros factores asociados

33. Estoy embarazada y tengo colesterol. ¿Qué debo hacer?

Durante el embarazo y especialmente en el tercer trimestre el colesterol sube. Es normal. La construcción del feto requiere colesterol y su metabolismo está en el máximo apogeo y no es raro encontrar embarazadas con cifras superiores a los trescientos miligramos por decilitro.

Otro tema es, ¿qué ocurre si una mujer está en tratamiento por tener colesterol alto y queda embarazada? De entrada, ha de dejar la medicación. Si usted está embarazada hay dos cosas seguras, es usted una mujer y es joven. Estas dos circunstancias la protegen de los efectos del colesterol y, por tanto, su tratamiento debería en todo caso basarse en medidas dietéticas.

La excepción se produce cuando se trata de una forma hereditaria, la hipercolesterolemia familiar. En este caso, el tratamiento suele prescribirse desde la adolescencia y puede darse el caso de que surja el embarazo durante el mismo. Lo ideal sería planificarlo y suspender el tratamiento de forma programada. Aunque no hay datos que indiquen efectos nocivos de la medicación sobre el feto, tampoco los hay de seguridad, y, por ello, es mejor evitar su exposición a los mismos. Por otra parte, los efectos del colesterol son siempre a muy largo plazo, y no pasa nada por suspender el tratamiento durante un año. Si el embarazo ha surgido sin dicha previsión, debemos suspender el tratamiento de forma inmediata. Ya lo reanudaremos después del parto.

Para completar la información relativa a éste tema le recomendamos lea las respuestas a las preguntas 10 y 15

34. Tengo la presión alta y colesterol. ¿Qué debo hacer?

El tratamiento del colesterol es una medida preventiva para evitar enfermedades cardiovasculares, como el infarto o la trombosis cerebral. El riesgo de desarrollar estas enfermedades aumenta cuando coexisten factores que colaboran a acelerar la presentación de dichas alteraciones. Uno de ellos es la presión alta, la hipertensión.

Una persona tiene la presión alta si la máxima, sistólica, es superior o igual a 140 milímetros de mercurio o la mínima, diastólica, superior a 90. En caso de ser diabético o haber padecido un infarto su presión debe ser inferior a 130 de máxima y 80 de mínima. Cuando tenemos colesterol alto e hipertensión el riesgo aumenta. Por ello, debemos ser mucho más estrictos en el control del colesterol y, de hecho, de ambas alteraciones.

Es recomendable que una persona con la presión alta sin complicaciones asociadas tenga un colesterol LDL por debajo de 130 miligramos por decilitro. Si hay alguna complicación cardiaca (infarto o angina), renal o metabólica (diabetes) se aconseja que se alcancen cifras inferiores a los 100 miligramos por decilitro. En estas circunstancias, es importante seguir una alimentación correcta, intentar alcanzar el peso ideal, realizar ejercicio físico, no fumar y si es necesario tomar medicinas, que en muchos casos serán varias, para conseguir los objetivos marcados. No se asuste, lo normal es tomar entre dos y tres medicamentos para la presión y uno o incluso dos para el colesterol.

La combinación de colesterol e hipertensión aumenta de forma importante el riesgo cardiovascular. Debemos intervenir tanto sobre el colesterol como sobre la presión arterial. Su asociación es muy peligrosa y, por tanto, debemos ser estrictos en su control.

Para completar la información relativa a éste tema le recomendamos lea las respuestas a las preguntas 10 y 15

35. ¿Produce colesterol el hecho de fumar?

El tabaco *per se* no aumenta el colesterol. Sin embargo es un potentísimo factor de riesgo cardiovascular. Es decir, el fumador, aunque no tenga colesterol ni otros factores de riesgo cardiovascular, tiene más posibilidades que los no fumadores de sufrir un infarto. Por ello, si tenemos colesterol y además fumamos asociamos dos de los factores de riesgo cardiovascular más importantes. Sus efectos no sólo se suman sino que se multiplican. Por consiguiente, si tenemos colesterol, debemos dejar de fumar aún con más motivo.

Un hombre de cincuenta años con un colesterol de doscientos setenta, que no fume y sin otras alteraciones, tiene un riesgo de sufrir un infarto en los diez años siguientes de un diez por ciento aproximadamente. Si fuma, su riesgo asciende casi al veinte por ciento. Es más provechoso para este paciente dejar de fumar, dado que su riesgo vascular se reducirá a la mitad, que bajar su colesterol setenta miligramos, dado que en este caso su riesgo sólo desciende del veinte al quince por ciento.

Si tiene colesterol, primero deje de fumar, después trate su colesterol. ¿Sólo fuma un cigarrillo al día? Es usted un fumador con todas las de la ley. Lo que hemos dicho debe aplicárselo en su totalidad. Es más, si no fuma pero está expuesto a un ambiente de humo de tabaco, su riesgo de infarto también es más alto. Existen datos científicos que demuestran que un fumador pasivo tiene un incremento del riesgo cardiovascular un veinticinco por ciento superior a la media para su edad y sexo. Señora, si tiene colesterol, que su marido fume en la calle. Si lo hace en casa, empeora su pronóstico.

Para completar la información relativa a éste tema le recomendamos lea las respuestas a las preguntas 10 y 15

36. Estoy obesa y tengo colesterol. ¿Debo tomar medicamentos o tan sólo seguir una dieta adecuada?

La obesidad es un factor que aumenta el riesgo de sufrir enfermedades cardiovasculares. En las personas obesas el corazón debe trabajar más, la cantidad de sangre a bombear es superior. Además, los obesos suelen tener la presión alta, son más sedentarios y desarrollan diabetes con mayor frecuencia.

Por todo ello, la presencia de cifras altas de colesterol en personas obesas debe ser considerada de alto riesgo.

La obesidad se define como un índice de masa corporal superior a treinta, es decir, el peso en kilos dividido por la talla en metros elevada al cuadrado. Por ejemplo, una mujer que pese ochenta kilos y mida un metro sesenta tendrá un índice de masa corporal de $(80/1,60^2 = 31)$ Entre veinticinco y treinta se considera sobrepeso.

Recientemente, se ha demostrado que no todo tipo de obesidad determina el mismo riesgo vascular. La más preocupante es la que se debe a la acumulación de grasa en la barriga, la obesidad abdominal, y más concretamente cuando la grasa se sitúa cerca de las vísceras, perivisceral. En esta situación, la grasa es más activa metabólicamente y desarrolla alteraciones con mayor facilidad. De hecho, si tenemos barriga, incluso con un peso prácticamente normal, nuestro riesgo cardiovascular es mayor. Es imprescindible que midamos el perímetro de nuestra cintura para saber si la grasa que tenemos depositada es más o menos peligrosa. Un perímetro de cintura superior a 102 centímetros en los hombres y a 88 centímetros en las mujeres define la obesidad abdominal, aunque hay sociedades científicas que consideran que deberían usarse otros límites, ¡94 centímetros para los hombres y 80 para las mujeres!. Esta forma de obesidad es más propia de los hombres, ¡tenemos barriga!, mientras que en las mujeres la grasa se acumula en los glúteos y muslos. Esta forma de distribución del tejido adiposo en las mujeres es menos peligrosa de cara al infarto.

Si la obesidad produce colesterol, lo lógico es pensar que debo reducir mi peso y no tomar medicamentos para el colesterol. Este razonamiento es totalmente válido. Las personas con obesidad suelen tener alteraciones del metabolismo de las grasas, pero, en general, acostumbran a tener más problemas con los triglicéridos que con el colesterol.

De hecho, la alteración más frecuente en las personas obesas es tener unos triglicéridos muy altos y un colesterol HDL, el bueno, bajo. Quizá, ésta es la combinación que provoca el riesgo vascular de las personas con obesidad. Si a ello se suma un colesterol malo, LDL, elevado, el perfil pernicioso se completa y la actuación debe ser enérgica. Por descontado, que antes de iniciar cualquier terapia con medicamentos, deberemos intentar perder peso, pero en general, la disminución de peso suele corregir los triglicéridos y en menor medida el colesterol. Por ello, en muchas ocasiones, a pesar de adelgazar algo, solemos mantener cifras altas de colesterol. En este caso, deberemos tratarnos.

Una persona obesa sin otras alteraciones asociadas debería tener un colesterol LDL inferior, como mínimo, a 130 miligramos por decilitro. Si ya ha sufrido un infarto, o tiene diabetes, es mejor que llegue a cifras inferiores a los cien miligramos por decilitro; si es necesario, con medicinas.

Para completar la información relativa a éste tema le recomendamos lea las respuestas a las preguntas 15, 26, 37, 38 y 39

37. Soy diabética, y tengo algo de colesterol. ¿Debo preocuparme?

Quizá la palabra preocupación no sería la más acertada, pero obviamente debe corregir estas alteraciones metabólicas. En su caso, al riesgo vascular que le procura el colesterol alto se suma el de la diabetes. La diabetes es una alteración del metabolismo de la glucosa que se asocia a un elevado riesgo de padecer enfermedades vasculares. De hecho, la mitad de las personas con diabetes fallecen por infartos u otras enfermedades arteriales.

Una persona diabética, sin otras alteraciones asociadas, lo cual es infrecuente, tiene entre el doble y el triple de probabilidades de tener un infarto que una persona no diabética. Esto es especialmente cierto para las mujeres. Las mujeres diabéticas, por el hecho de serlo, pierden la protección que el ambiente hormonal estrogénico les concede hasta la menopausia con respecto al infarto de miocardio.

Por ello, una persona diabética debe extremar al máximo el control de su metabolismo. Debe conseguir que su azúcar esté dentro de los parámetros más normales posibles. El azúcar en ayunas debe acercarse a los 120 miligramos por decilitro como máximo y dos horas después de comer no debería superar los 140. Su presión arterial debe ser baja, inferior al menos a 130/80. No debe fumar, ¡es una grave imprudencia!, y su colesterol malo debe ser inferior a cien miligramos por decilitro. Naturalmente, que para conseguirlo se deberán seguir una serie de normas sobre el estilo de vida, como son una alimentación adecuada, intentar alcanzar el peso ideal, practicar actividad física, no fumar, y junto a todo ello se deberá iniciar un tratamiento farmacológico.

Por desgracia, no existen medicamentos mágicos que lo solucionen todo a la vez y, por ello, es normal que las personas diabéticas que han de conseguir unos objetivos terapéuticos tan estrictos tomen varias pastillas para el azúcar, otras para la presión, y finalmente las del colesterol. Suelen estar polimedicadas, pero les es imprescindible, ¡no las dejen, no les hacen daño, les hacen bien, para eso se las han prescrito!

Para completar la información relativa a éste tema le recomendamos lea las respuestas a las preguntas 15, 36, 38 y 39

38. Soy diabético y tengo triglicéridos. ¿Qué debo hacer?

Las personas diabéticas suelen presentar varias alteraciones metabólicas al mismo tiempo. De hecho, aunque entendamos la diabetes como un trastorno del metabolismo del azúcar, ésta afecta al metabolismo en general y al de las grasas en particular.

Las persona diabéticas tienen menor capacidad de guardar la grasa en el tejido adiposo y la grasa pasa a la sangre con más facilidad. Esto se debe a que la insulina no funciona correctamente, hay resistencia a la acción de la insulina. Este aumento de grasa en sangre se traduce en una hipertrigliceridemia ó lo que es lo mismo en una elevación de las concentraciones de triglicéridos.

Los triglicéridos, por sí mismos, tienen un papel menos importante que el colesterol para determinar el riesgo cardiovascular. Sin embargo, las elevaciones de triglicéridos van asociadas a descensos del colesterol bueno, y esto es lo que puede provocar una mayor susceptibilidad a tener un infarto. Así pues, los diabéticos tendrán una alteración del metabolismo de las grasas que en los análisis se caracterizará por un aumento de triglicéridos, un descenso del colesterol bueno y en ocasiones, además, aumentos del colesterol malo. Esta tríada lipídica es de alto riesgo y debe ser controlada.

Es cierto que las elevaciones de triglicéridos, a diferencia de las del colesterol, responden muy bien a tres cosas: una alimentación correcta, si es posible con tendencia a corregir el exceso de peso que suele existir, abstinencia total de alcohol y práctica habitual de ejercicio físico. Pero además mejoran cuando el control del azúcar se normaliza.

Así pues, mientras que la corrección del colesterol en los diabéticos va a precisar tratamiento con medicamentos en un porcentaje amplio de pacientes, los triglicéridos los podremos controlar con medidas dietéticas, ejercicio y un buen control de la diabetes. Solamente en los casos en los que esto no sea posible deberemos seguir un tratamiento con fármacos, ¡y siempre que el colesterol ya esté controlado!

Para completar la información relativa a éste tema le recomendamos lea las respuestas a las preguntas 27, 36 , 37 y 39

39. Estoy obeso, tengo elevados el colesterol, los triglicéridos, la presión y el azúcar. ¿Por qué tengo tantas enfermedades?

La obesidad es cada vez más frecuente en nuestro medio, afecta a una de cada cinco personas, y más de la mitad de los españoles tiene sobrepeso. El colesterol por encima de los valores de referencia afecta a la mitad de la población y los triglicéridos altos casi al quince por ciento. Son hipertensos uno de cada cuatro sujetos y a partir de los sesenta años casi ocho de cada diez. Finalmente, un diez por ciento de la población padece diabetes declarada y esta cifra va en aumento.

Esta elevada proporción de personas con trastornos metabólicos permite suponer que no es difícil que varias de ellas puedan coincidir en un mismo sujeto. Es un simple cálculo de probabilidades. Además, si observamos las alteraciones mencionadas nos daremos cuenta de que la mayor parte de ellas tiene condicionantes similares: una alimentación inadecuada y el sedentarismo. Por ello, no es de extrañar que una persona desarrolle un conjunto de defectos metabólicos al mismo tiempo.

Pero la cosa va más allá. Investigaciones realizadas en los últimos años señalan que probablemente hay mecanismos bioquímicos, biológicos, genéticos, o de otra índole compartidos entre estas diferentes formas de enfermedad metabólica. La grasa, o dicho de forma más precisa el tejido adiposo, produce sustancias que pueden afectar la actuación de la insulina y producir la acumulación de azúcar en la sangre, pero también la presión alta o incluso el aumento de los triglicéridos.

Este fenómeno de coincidencia de varios factores metabólicos alterados se ha bautizado como síndrome metabólico. ¿Lo tiene usted? Para entrar dentro de esta categoría ha de cumplir al menos tres de los siguientes criterios: (1) estar obeso, pero según el perímetro de su cintura, es decir, más de 102 centímetros en los hombres y 88 en las mujeres; (2) tener el azúcar alto, aunque no llegue a ser diabético; (3) ser hipertenso, (4) tener triglicéridos o (5) tener el colesterol bueno, el HDL, bajo. Si reúne tres de estas condiciones usted está afectado de un síndrome metabólico.

¿Qué trascendencia tiene esto? Las personas con síndrome metabólico tienen un riesgo superior de sufrir infartos. Hay estudios que nos dicen que incluso más que cuando se tiene una diabetes, si ésta está bien controlada. Pero además, el riesgo de que en el futuro usted se convierta en una persona con diabetes es también muy elevado. Por ello, esta situación se considera un grave problema sanitario. Pero tranquilo, en España, una de cada cuatro personas reúne los criterios diagnósticos mencionados.

¿A que se debe esta eclosión de trastornos metabólicos? Sencillo, repasemos nuestra alimentación habitual, constituida de grandes porciones de alimentos hipercalóricos y bebidas azucaradas. Revisemos nuestra actividad física que suele ir poco más allá de sostener el mando a distancia del televisor ó mantener la posición de sentado ante el ordenador. Y lo peor es que estos hábitos se incorporan a nuestra forma de vida en edades muy tempranas. Los niños comen a base de preparados de bollería y cocina rápida en muchas ocasiones. Los padres no estamos para preparar comidas más sanas porque requieren mayor tiempo. Y además, los productos de bollería están de muerte ¡y llevan cromos! Los partidos de fútbol en la calle con balones desgarrados han dado paso a los que se practican con las videocónsolas. Más emocionantes ¡y se puede jugar sentado!.

Una serie de condicionantes hacen que nuestro estilo de vida esté cambiando. Es probablemente un efecto más de la globalización que conseguirá que los patrones de enfermar también sean generales. La obesidad y la diabetes se consideran ya la gran epidemia del siglo veintiuno. Si usted tiene todas las alteraciones que ha mencionado en la pregunta, no se apure, está al día, le ocurre cada vez a más gente. ¿Sabremos evitarlo?

Para completar la información relativa a éste tema le recomendamos lea las respuestas a las preguntas 27, 28, 36, 37 y 38

Si tiene tres de las siguientes alteraciones usted está afectado de un síndrome metabólico.

Datos clínicos	Límites
Perímetro de cintura en hombres	> 102 cm
Perímetro de cintura en mujeres	> 88 cm
Triglicéridos	> 150 mg/dl
HDL en hombres	< 40 mg/dl
HDL en mujeres	< 50 mg/dl
Presión arterial	> 130 de sistólica u 85 de diastólica
Glucosa en ayunas	> 110 mg/dl

40. He tenido un infarto y tengo colesterol. ¿Qué debo hacer?

¡Tratarse!

El factor que más aumenta el riesgo de tener un infarto es haber tenido ya uno. Las personas que han sufrido no sólo un infarto, sino una angina de pecho, o incluso un problema de ataque cerebral o enfermedades circulatorias en las arterias de las piernas, tienen un riesgo de presentar un infarto más de diez veces superior a la media. Por ello, una premisa *sine qua non* es que estas personas controlen al máximo todos y cada uno de sus factores de riesgo de forma muy estricta. Si tienen la presión alta, deben bajarla por debajo de 130/80, si son diabéticos su azúcar debe estar perfectamente controlado. No comentaré lo del tabaco ¡Qué gran error que un paciente que ha sufrido un infarto fume! ¡Cómo se la juega!

¿Y el colesterol? Existen múltiples estudios que demuestran que si una persona que ha sufrido un infarto toma medicamentos para mantener sus cifras de colesterol lo más bajas posible su riesgo de repetir un nuevo episodio puede reducirse un cincuenta por ciento, es decir, ¡a la mitad!

¿Qué significa mantener el colesterol bajo? Pues no contentarnos con los valores que podríamos considerar normales sino bajarlo al máximo, como más bajo mejor. Se ha establecido que si usted ha tenido un infarto, su colesterol malo, LDL, debe estar al menos por debajo de los cien miligramos por decilitro, y si para ello necesita tomar medicamentos, debe tomarlos. De hecho, es mejor que empiece lo antes posible, en el propio hospital o inmediatamente después de ser dado de alta. No hace falta que espere el efecto de esta dieta que ahora sí ha decidido realizar. No se trata de que ésta no sea importante, ya que si sigue bien la dieta el colesterol bajará aún más y, por tanto, mejor para usted. Existen estudios que han demostrado que si en lugar de llegar a unas cifras de colesterol LDL inferiores a cien lo bajamos por debajo de setenta, mejor que mejor.

Si ha tenido un infarto, no se la juegue, siga una alimentación correcta, no fume, haga ejercicio y ¡machaque su colesterol! lo más bajo posible. Si ha tenido un infarto y no está tomando medicamentos para el colesterol, pregúntele a su médico la razón. Es casi seguro que en esta situación debería tomar medicamentos para que baje a cifras ínfimas. ¡Hágalo!

Para completar la información relativa a éste tema le recomendamos lea las respuestas a las preguntas 10, 15, 29 y 30

147

41. Estoy muy estresado. ¿Me subirá el colesterol?

La situación de estrés es una respuesta fisiológica ante una amenaza. Un animal en peligro experimenta un cambio metabólico y hormonal dirigido a la salvaguarda de su integridad. Esta reacción metabólico-hormonal se caracteriza por una descarga de adrenalina, la hormona del estrés. Esta hormona tiene como principales efectos la activación del sistema simpático, lo que implica que el individuo afecto aumenta su frecuencia cardiaca, su presión arterial y dilata sus pupilas. Toda la maquinaria está en disposición de defensa inminente o huída en su caso.

La respuesta a la situación de estrés suele ser de corta duración cediendo a los pocos minutos de conseguir sus objetivos, el rechazo de la amenaza. Por ello, no cabe suponer que una situación como esta pueda ser la causa de alteraciones a largo plazo y no podemos considerar que el estrés sea una causa de elevaciones crónicas de colesterol.

Sin embargo, en personas que tienen colesterol y, por tanto, con más probabilidades de tener lesiones coronarias, la respuesta de tipo estrés puede desencadenar un ataque cardíaco. Un corazón previamente dañado puede manifestar sus limitaciones cuando se le exige por encima de su funcionamiento habitual. Pero el estrés *per se* no sube el colesterol.

¡Cuidado!, no debemos confundir estrés con angustia. El sujeto angustiado, en ocasiones considerado estresado, porque tiene una sobrecarga de trabajo ó por problemas familiares de diversa índole, realiza conductas inapropiadas con la intención de combatir su angustia. Come a deshoras, bebe alcohol, fuma, y estas conductas sí pueden provocar ascensos del colesterol, o motivar un incremento del riesgo cardiovascular. Es decir, el estrés por si mismo no actúa sobre el colesterol, pero es un factor desencadenante de enfermedades cardíacas y suele acompañarse de conductas del estilo de vida propensas a desarrollar hipercolesterolemia. El estrés no es un buen compañero de viaje, especialmente si tenemos el colesterol alto.

Para completar la información relativa a éste tema le recomendamos lea la respuesta a la pregunta 11

42. Tengo 80 años y me han encontrado colesterol ¿Tengo que tomar medicamentos para bajarlo?

La edad no es un condicionante absoluto a la hora de iniciar un tratamiento para el colesterol. Todo depende del estado físico global de la persona. En aquellas que gozan, colesterol aparte, de una buena forma física, ¿por qué no tratar el colesterol?. Sin embargo debemos hacer varias consideraciones. No hay estudios que demuestren de forma contundente que a partir de los 75 u 80 años tratar el colesterol elevado produzca beneficio alguno. La razón podría ser que en estas épocas de la vida, con o sin colesterol, las arterias ya están muy castigadas, rígidas, y aunque bajemos el colestero el beneficio es escaso. Si esto es así, al medicarnos sólo conseguiríamos sufrir los efectos secundarios nocivos de las medicinas, que con el avance de la edad son mayores.

Pero hay ciertas circunstancias que debemos tener en cuenta. Si usted tuvo en su día un infarto, su colesterol debe ser lo más bajo posible. Si el colesterol LDL, el malo, es superior a 100 miligramos por decilitro, debe tratarse.

Si usted es diabético o diabética, la situación es como la del caso anterior. Si su colesterol malo es superior a 100 debe tratarse.

Si usted hace años que sigue tratamiento para el colesterol el hecho de cumplir 80 años no debe ser un motivo para interrumpirlo, siga con él.

Si tiene usted 80 años y ahora le han encontrado el colesterol alto, la decisión de iniciar un tratamiento dependerá de su estado general, de la presencia de otros factores de riesgo asociados, como hipertensión arterial o de la cantidad de colesterol que tenga. Su riesgo de padecer una enfermedad cardiovascular es muy alto por razones de su edad y no está claro que tomando medicamentos para el colesterol este riesgo disminuya, pero es una carta que se puede jugar. Entre usted, ¡sí, usted! y su médico deberán tomar la decisión.

Para completar la información relativa a éste tema le recomendamos lea la respuesta a la pregunta 18, 29, 30 y 31

43. ¿Es bueno para el colesterol hacer ejercicio físico?

En términos generales la respuesta es sí. Pero analicemos más detenidamente lo que significa ejercicio físico. Solemos distinguir tres conceptos, actividad física, ejercicio físico y deporte. Denominamos actividad física a cualquier actividad que requiera movilización muscular para alcanzar los objetivos. Caminar para desplazarnos, o subir escaleras para llegar al segundo piso, esto es actividad física.

Cuando seguimos una pauta de actividad física por encima de las necesidades normales y la realizamos de forma regular, hablamos de ejercicio físico. Salir a correr dos veces por semana, montar en bicicleta ó jugar a fútbol, una, dos, cuatro veces por semana. Finalmente, la práctica de deporte implica competición. Me entreno para participar en la carrera que organizan unos grandes almacenes, o para participar en el campeonato de fútbol sala del barrio. Todo lo que implique competir lo designamos como deporte.

A grandes rasgos, el tipo de actividades que recomendamos para mejorar el colesterol y el perfil de riesgo cardiovascular es aumentar la actividad física y en algún caso una pauta de ejercicio físico. El tema del deporte ya es personal.

La actividad física divide a la gente entre los sedentarios y los activos. La barrera estaría en caminar unos treinta minutos diarios. Esta actividad moderada disminuye el riesgo cardiovascular. En general, se recomienda que aumentemos la actividad física procurando aprovechar todas las oportunidades. Subir por las escaleras y no utilizar el ascensor, aparcar el coche algo más lejos de lo necesario, para obligarnos a caminar un poco más o no utilizar el coche, son algunos de los trucos para aumentar de forma inmediata la cantidad de actividad física.

La práctica de ejercicio requiere otros condicionantes. A partir de los cuarenta, hay quien dice de los treinta y cinco, es obligatorio que antes de empezar a salir en bici de forma regular nos miremos el corazón, es decir, debemos realizarnos una prueba de esfuerzo. Que no se nos ocurra, al día siguiente de la visita al médico en la que ha quedado claro que nuestro colesterol, triglicéridos y peso han aumentado, empezar a correr como unos posesos por las calles con la idea de solventar en un día lo que no hemos hecho durante años.

Si tenemos esa edad comprometida deberemos ponernos en contacto con una unidad de medicina del deporte que nos estudiará correctamente y nos aconsejará sobre el mejor ejercicio a realizar. El tipo de ejercicio ha de ser aerobico, es decir el que consume los substratos propios de la actividad muscular, sin trabajar por encima de los dinteles de exceso de consumo de oxígeno, es decir de forma anaerobia. En el primer, caso la actividad o ejercicio facilitarán la pérdida de peso y ayudarán a regular los triglicéridos, la glucosa, la presión arterial, y el colesterol. Además, nos despejan la cabeza de problemas y actúan como antiestrés.

La práctica de ejercicio es incluso beneficiosa para los pacientes que ya han sufrido un primer episodio de infarto, no sólo porque colabore a mantener el peso y baje el colesterol, sino porque la mecánica cardiaca, su músculo, su miocardio trabaja mejor si practica ejercicio.

En resumen, si tienes colesterol, camina al menos treinta y cinco minutos diarios, sube y baja por las escaleras si vas a los primeros pisos.

Si quieres salir en bici o a correr, hazte primero una prueba de esfuerzo, pero sobre todo ¡muévete!

Para completar la información relativa a éste tema le recomendamos lea las respuestas a las preguntas 11 y 18

Puntos clave:

- El colesterol no actúa solo en el desarrollo de las enfermedades cardiovasculares.
- La presencia concomitante de otros factores multiplica el riesgo del colesterol.
- Dejar de fumar puede ser más eficaz que tratar el colesterol para bajar el riesgo vascular.
- La coexistencia de hipertensión, diabetes, obesidad, tabaquismo o infarto previo, entre otros factores, exige un control más riguroso del colesterol.
- Una mujer joven sin factores asociados tiene poco riesgo vascular a pesar de que tenga el colesterol alto.
- Durante el embarazo es normal que el colesterol suba.